D1500729

ALCIBIADE

Œuvres de Platon
dans la même collection

ALCIBIADE *(nouvelle traduction de C. Marbœuf et J.-F. Pradeau).*
APOLOGIE DE SOCRATE — CRITON *(nouvelle traduction de Luc Brisson).*
LE BANQUET *(nouvelle traduction de Luc Brisson).*
CRATYLE *(nouvelle traduction de Catherine Dalimier).*
EUTHYDÈME *(nouvelle traduction de Monique Canto).*
GORGIAS *(nouvelle traduction de Monique Canto).*
ION *(nouvelle traduction de Monique Canto).*
LACHÈS — EUTHYPHRON *(nouvelles traductions de Louis-André Dorion).*
LETTRES *(nouvelle traduction de Luc Brisson).*
MÉNON *(nouvelle traduction de Monique Canto).*
PARMÉNIDE *(nouvelle traduction de Luc Brisson).*
PHÉDON *(nouvelle traduction de Monique Dixsaut).*
PHÈDRE *(nouvelle traduction de Luc Brisson).*
PLATON PAR LUI-MÊME *(textes choisis et traduits par Louis Guillermit).*
PROTAGORAS *(nouvelle traduction de Frédérique Ildefonse).*
PROTAGORAS — EUTHYDÈME — GORGIAS — MÉNEXÈNE — MÉNON — CRATYLE.
LA RÉPUBLIQUE.
SECOND ALCIBIADE — HIPPIAS MINEUR — PREMIER ALCIBIADE — EUTHYPHRON — LACHÈS — CHARMIDE — LYSIS — HIPPIAS MAJEUR — ION.
SOPHISTE *(nouvelle traduction de Nestor L. Cordero).*
SOPHISTE — POLITIQUE — PHILÈBE — TIMÉE — CRITIAS.
THÉÉTÈTE *(nouvelle traduction de Michel Narcy).*
THÉÉTÈTE — PARMÉNIDE.
TIMÉE — CRITIAS *(nouvelle traduction de Luc Brisson).*

PLATON

ALCIBIADE

Traduction inédite
par
Chantal MARBŒUF
et Jean-François PRADEAU

Introduction, notes, bibliographie et index
par
Jean-François PRADEAU

Traduit avec le concours
du Centre national du Livre

GF Flammarion

2e édition corrigée, 2000

ISBN : 978-2-0807-0988-2

Pour Bertrand Rat, psychologue.

REMERCIEMENTS

*À Luc Brisson qui a bien voulu relire notre traduction, tout comme à Richard Goulet, qui nous a fourni, grâce au programme Lexis 2 dont il est l'auteur, un lexique grec exhaustif de l'*Alcibiade, *nous exprimons notre gratitude.*

Chantal Marbœuf et Jean-François Pradeau

*Luc Brisson et Jacques Brunschwig ont accepté de relire l'introduction qui suit et les notes qui accompagnent la traduction du dialogue. Je leur en sais d'autant plus gré que, s'ils doutent tous deux de l'authenticité de l'*Alcibiade, *leurs réserves ne les ont pas empêchés de m'aider à enrichir ma lecture. Je remercie encore Jérôme Laurent, Chantal Marbœuf, Pierre-Marie Morel, Alain-Philippe Segonds et Henri Vignes qui ont corrigé, dans la mesure du possible, le texte de l'introduction.*

Jean-François Pradeau

INTRODUCTION

> *« Je ne suis pas encore capable, comme le demande l'inscription de Delphes, de me connaître moi-même ; dès lors, je trouve qu'il serait ridicule de me lancer, moi à qui fait encore défaut cette connaissance, dans l'examen de ce qui m'est étranger »* Phèdre *229e6-7*[1].

1. L'*ALCIBIADE* À L'ÉPOQUE DU *GORGIAS* : L'ARGUMENT DU DIALOGUE

La discussion de l'*Alcibiade* porte sur les conditions psychologiques de l'éthique et de la politique, du gouvernement de soi et du gouvernement de la cité. Ces deux sortes de gouvernement, la maîtrise de soi éthique et le commandement politique, ont pour condition la connaissance de leurs objets et de ce qui convient à ces objets : afin de se maîtriser soi-même, il convient de se connaître soi-même ; afin de gouverner la cité, il convient de la connaître. Le sujet de la connaissance ici requise, pour Platon comme pour

1. Platon, *Phèdre*, traduit par L. Brisson, Paris, GF-Flammarion, 1989 (je ne mentionne que les titres des ouvrages et des articles qui sont cités dans la bibliographie, en fin de volume ; pour les publications qui n'y figurent pas, je précise le lieu et la date d'édition).

toute la philosophie ancienne, est l'âme (*psukhê*[1]). La condition de l'éthique et de la politique est encore psychologique au sens où, pour se maîtriser soi-même et pour gouverner la cité, il faut adopter à l'égard de soi-même une certaine attitude, prendre certaines dispositions. Comme va l'établir l'*Alcibiade*, l'éthique et la politique exigent à la fois un ensemble de connaissances et une forme d'attention à soi comme aux autres, de maîtrise de soi et des autres. Ce sont là les deux versants indissociables d'une conduite humaine qui se propose d'accéder à l'excellence[2]. La recherche qu'entreprend l'*Alcibiade* s'inscrit dans le débat, indistinctement éthique et politique, qui occupe l'essentiel des dialogues platoniciens antérieurs à la *République* et, plus précisément, du point de vue des questions et des termes qui sont les leurs, l'ensemble plutôt homogène que constituent l'*Euthydème*, le *Ménon* et le *Gorgias*. C'est dans le dernier de ces trois dialogues, où Platon produit un véritable manifeste en faveur de la vie philosophique, que la question éthique de la conduite à adopter, pour soi et dans la cité, est sans doute posée avec le plus de clarté et de vigueur. Contre les représentations communes ou traditionnelles de l'existence humaine, contre les mœurs que promeuvent les usages athéniens ou les pensées alors en vogue, Socrate y fait valoir un mode de vie dont il soutient qu'il est seul susceptible d'améliorer chacun des particuliers et la cité dans son ensemble. Car c'est d'une réforme qu'il s'agit, d'une amélioration qui donne au discours philosophique son statut : il doit apparaître comme une

1. Par « psychologie », loin du sens contemporain, j'entends simplement la connaissance et le discours relatifs à l'âme.

2. Ici comme dans la traduction du dialogue, j'ai le plus souvent préféré traduire *aretê* par « excellence » plutôt que par vertu, afin de rendre la connotation d'efficacité et de réussite qui est celle du terme grec, mais aussi l'ampleur de son usage (toute chose possède son excellence propre, les animaux comme les objets techniques ; l'excellence n'est en aucun cas le propre de l'homme). Le terme de conduite rend le grec *êthos*, qui désigne la manière d'être, l'habitude d'une personne, la façon dont elle se conduit. L'*êthos* est l'objet de l'éthique (*êthikê*).

alternative aux illusions de maîtrise et d'accomplissement que produisent les idéologues grecs et les pseudo-savants (au premier rang desquels les sophistes), et défendre un autre mode de vie, à la mesure des fins auxquelles nous devons nécessairement ordonner notre existence. Les dialogues qu'on dit « socratiques », ceux dont la rédaction précède sans doute celle des trois textes qu'on vient de citer, posent ainsi et déjà la même question de l'amélioration de soi : à quelle forme d'excellence pouvons-nous prétendre et par quels moyens pouvons-nous l'atteindre ?

L'*Alcibiade* ne s'en tient pas à l'examen de cette seule question, déjà résolue par d'autres dialogues qui ont suffisamment établi la nécessité de gouverner notre conduite de telle sorte qu'on puisse atteindre une forme particulière ou une autre d'excellence, mais qui ont aussi montré, puisque c'est là l'originalité philosophique de la doctrine platonicienne, que l'excellence n'était accessible qu'à la condition de posséder un certain savoir [1]. L'entretien de l'*Alcibiade* œuvre déjà en marge d'une critique éthique et politique plus élaborée, celle des trois dialogues cités et plus particulièrement du *Gorgias*, dont on peut soutenir qu'il est à la fois un développement ou une condition. Un développement d'abord, dans la mesure où l'*Alcibiade* reprend au *Gorgias* certaines difficultés qu'il paraît soumettre à un examen plus précis et plus clair [2], et où il poursuit surtout certains de ses arguments plus avant [3]. Mais l'*Alcibiade* n'est pas l'appendice ou le résumé scolaire du *Gorgias* ; il en est plutôt, sous un aspect bien particulier, la condition : il légitime, en leur donnant une *raison*, les arguments éthiques que Socrate y oppose à

1. Le *Lachès* et l'*Hippias mineur* donnent des deux aspects indiqués de la réflexion éthique l'aperçu le plus clair.

2. Comme c'est le cas, par exemple, de la discussion relative à l'identité du juste et de l'avantageux, qu'on trouve en *Gorgias* 468e-474c et en *Alcibiade* 113c-116e.

3. Comme c'est le cas, cette fois, de l'injonction à s'améliorer soi-même, qui, prononcée simplement dans le *Gorgias* (notamment à terme, 526d-527e), est véritablement examinée dans l'*Alcibiade*.

Gorgias, Polos et Calliclès. Sortir du dilemme conflictuel du *Gorgias* (où s'affrontent deux modes de vie antagonistes) suppose que l'on puisse fonder l'adoption du mode de vie philosophique sur une connaissance certaine de ce qui convient à l'amélioration de soi. Le *Gorgias* en appelle, la nommant « tempérance » (*sōphrosúnē*), à une maîtrise de soi qui est, pour l'essentiel, définie comme une maîtrise des plaisirs et comme une mise en ordre de l'âme : « Dans l'âme, l'ordre et l'arrangement s'appellent loi et conformité à la loi, par lesquels les gens deviennent respectueux de la loi et ordonnés. C'est cela qui constitue la justice et la tempérance » (504d1-3 [1]). La maîtrise des plaisirs et la mise en ordre de l'âme, qui font l'excellence d'une existence humaine, doivent être conformes à la nature humaine (506d-e). C'est dire que l'argument éthique du *Gorgias* ne peut être fondé qu'à la condition que cette nature humaine soit définie et que l'on réponde, avec l'*Alcibiade*, à la question « qu'est-ce que l'homme [2] ? ».

Pour le dire autrement, le *Gorgias* et l'*Alcibiade* regroupent trois types de recherches distinctes, qui concourent à définir les conditions d'un rapport à soi et aux autres convenable à ce qu'est notre nature humaine. D'abord, il faut répondre à la question de savoir comment se conduire avec tempérance et comment se maîtriser soi-même afin de gouverner les autres. Ensuite et indissociablement, il faut savoir ce qui convient à notre amélioration comme à celle de la cité (d'où l'enquête sur ce que sont le juste, le bon, le beau, l'avantageux et leurs contraires). Enfin, faute de quoi ce qui précède n'aurait aucun fondement, il convient de définir la nature humaine dont

1. Auparavant, voir la définition de la maîtrise de soi-même (*egkráteia* ; *heautou árkhein*) : « être tempérant et maître de soi, commander en soi aux plaisirs et aux désirs » (491d11-e1).

2. On verra toutefois plus loin que cette question n'est pas anthropologique, mais seulement psychologique et éthique : il ne s'agit pas tant de savoir ce qu'est l'homme que de savoir quel est, en l'homme, le sujet de la bonne conduite.

on entreprend l'amélioration : lorsque l'on envisage de s'améliorer *soi-même* en *se* conduisant d'une certaine manière, qu'entend-on par *soi-même* ? Qu'est-ce que le « soi-même » lui-même ? Telle est la question de l'*Alcibiade*, dont on voit combien elle est importante pour la critique éthique du *Gorgias* et la justification du mode de vie tempérant. Si le *Gorgias* a bien défini le mode de vie adéquat à la mise en ordre comme à la maîtrise de notre nature, il n'a pas défini ce qui en est à la fois le sujet et l'objet : nous-mêmes. De sorte que, pour justifier que l'on doive se conduire soi-même de telle ou telle manière, il faut au préalable se connaître soi-même. Ainsi résumé, l'*Alcibiade* achève la recherche du *Gorgias* qui demandait « *ce que doit être* un homme » (487e), en donnant une définition de l'homme ou, plus exactement, de ce qui en l'homme est le *sujet éthique* d'une conduite excellente.

L'argument du dialogue est aussi simple que suivi : à l'ambitieux Alcibiade qui lui fait part de son projet de s'engager bientôt en politique, Socrate promet son aide. Il lui demande ensuite quelles sont les compétences qu'il peut faire valoir pour gouverner la cité, pour commander au peuple de la cité démocratique athénienne. Quel est le domaine d'activité qu'il maîtrise ou connaît, en quelle matière est-il plus compétent qu'un autre ? Faute de réponse convaincante, Socrate explique à Alcibiade que la participation au gouvernement de la cité suppose une certaine connaissance, la connaissance de ce qui convient à la cité ; il faut savoir comment en prendre soin pour la diriger. Alcibiade, en cette matière comme en d'autres, s'avère parfaitement ignorant ; il ne possède aucune connaissance adéquate à ses aspirations politiques et ne peut finalement faire valoir que sa bonne naissance, sa fortune et son ambition. Socrate le conduit alors au constat de son ignorance puis à celui de la nécessité, avant même d'entreprendre quoi que ce soit, de s'améliorer lui-même, de devenir lui-même meilleur avant d'améliorer la cité. Mais comment s'améliore-t-on soi-même ? On s'améliore soi-même en prenant soin de soi-même. Et, prendre soin de soi-même, c'est connaître puis prendre soin de ce que nous sommes, à savoir notre âme. L'injonction à connaître et à prendre soin de notre âme, et plus particulièrement de ce qui en elle réfléchit, clôt ainsi le dialogue, puisqu'elle est à la fois réponse à la question initiale (si Alcibiade veut satisfaire son projet politique, il doit d'abord prendre soin de son âme) et résolution du problème rencontré (qu'est-ce que soi-même ?). À une question qui est aussi bien éthique que politique, l'*Alcibiade* aura donc donné une réponse *psychologique*, en définissant le « soi » comme cette région de l'âme qui réfléchit, l'intellect.

On peut donner du dialogue le plan suivant :

La rencontre de Socrate et d'Alcibiade (103a-106c)
Examen des compétences d'Alcibiade (106c-109b)
Qu'est-ce que le juste ? (109b-116e)
  Ignorance d'Alcibiade en la matière (109b-113c)
  Le juste est l'avantageux (113c-116e)
Les espèces de l'ignorance (116e-119a)
  Connaissance et espèces d'ignorance (116e-118b)
  L'ignorance en politique, de Périclès à Alcibiade (118b-119a)
Les véritables rivaux politiques d'Alcibiade (119a-124b)
Comment pouvons-nous devenir meilleurs ? (124b-127d)
Qu'est-ce que prendre soin de soi-même ? (127e-135e)
  Soi-même et ce qui nous est propre (127e-128d)
  Qu'est-ce que soi-même ? (128d-132b)
  Comment prendre soin de soi-même ? (132b-135e)

2. Alcibiade et Socrate : date dramatique et personnages

a. Alcibiade

> *« En formant cet Athénien, la nature semble avoir voulu essayer ses forces. D'un commun accord, ceux qui ont écrit son histoire le représentent comme ayant porté au plus haut point et les défauts et les qualités » Cornelius Nepos,* Alcibiade, *1.*

Né vers 450, mort en 404, Alcibiade est l'un des personnages les plus fameux de la vie politique athénienne du Ve siècle, pour nous qui disposons aujourd'hui de témoignages très nombreux sur son compte, comme pour ceux qui furent ses contemporains (les historiens anciens lui réservent une place peu commune, il est l'objet de plusieurs biographies et les anecdotes abondent sur sa personne et sur ses actes [1]). Alcibiade semble devoir sa célébrité aussi bien à son rôle politique, jusque dans les trahisons et les échecs dont il se rendit coupable, qu'à sa personnalité hors du commun : élégant et débauché, d'une beauté exceptionnelle, entreprenant et excessif, il est le jeune homme ambitieux et démesuré qui accompagne la chute de l'empire athénien. Aux yeux de ses contemporains, de ses successeurs (né en 428/427, Platon appartient à la génération suivante) comme des biographes ou des historiens ultérieurs, il est la figure qui

1. Parmi les nombreuses études et biographies consacrées à Alcibiade, on peut se reporter à l'ouvrage classique de J. Hatzfeld, *Alcibiade. Étude sur l'histoire d'Athènes à la fin du Ve siècle*, Paris, PUF, 1951, puis, désormais, à l'étude de W.M. Ellis, *Alcibiades*, Londres et New York, Routledge & Kegan, 1989. Outre les dialogues platoniciens et la *Vie* que lui consacre Plutarque (c. 45-127), les sources anciennes les plus riches, parmi celles dont nous disposons encore aujourd'hui, sont les récits historiques de Thucydide et de Xénophon. Toutes les références bibliographiques figurent dans la notice que L. Brisson a consacrée à Alcibiade dans le *Dictionnaire des philosophes antiques*, sous la direction de R. Goulet, Paris, éditions du CNRS, I, 1989, p. 100-101.

semble avoir incarné au mieux la période qui vit Athènes passer de l'apogée d'un règne sans partage sur le monde grec aux ruines de la défaite et de l'occupation, à la fin de la guerre du Péloponnèse (qui s'achève précisément en 404, lorsque Athènes se soumet à Sparte). La vie d'Alcibiade aura pris la forme, très tôt, d'une biographie de la chute d'Athènes, de son hégémonie et de son ambition sans égales, mais aussi et en même temps, pour les historiens, de sa grandeur hors du commun ; Platon ne déroge pas, au contraire, à ce lieu commun qui fait d'Alcibiade l'allégorie de la fin d'Athènes [1].

Issu de l'une des plus grandes familles athéniennes, les Alcméonides [2], élevé dans la maison de Périclès, proche de Socrate dont il fut l'aimé, Alcibiade entama très jeune une carrière politique et militaire où il s'illustra plusieurs fois (notamment lors des batailles de Potidée en 432 et de Délium en 424), jusqu'à l'échec de la très fameuse expédition de Sicile, lorsque Alcibiade devenu stratège entraîna la flotte athénienne en 415 dans une conquête de Syracuse qui fut un véri-

1. Quelle que soit l'opinion, favorable ou déplorable, qu'ils aient pu avoir de la démocratie athénienne ou de la personne d'Alcibiade, tous les témoins ultérieurs identifient ainsi l'histoire de la première et la vie du second ; leur « caractère », leurs excès, leur beauté et leur courage sont identiques. Dans la comédie les *Grenouilles* qu'Aristophane fit jouer en 405, on trouve un témoignage très suggestif de la fascination et de la répulsion qu'Alcibiade inspirait au peuple athénien.

2. Il s'agit sans doute de la famille qui eut le plus d'influence sur l'histoire politique athénienne classique. Le législateur Clisthène, qu'on tient pour le véritable père de la démocratie athénienne, comme Périclès trois générations plus tard, sont des Alcméonides. Alcibiade, dont le père Clinias meurt au combat en 447, grandit sous la tutelle de son parent Périclès. Comme Socrate y insiste beaucoup dans l'*Alcibiade*, la jeunesse d'Alcibiade coïncide parfaitement avec la domination de Périclès sur la vie politique athénienne (selon les historiens et faute de documents précis en la matière, c'est entre 454 et 446 qu'il faut dater la prise du pouvoir par Périclès ; il l'exercera jusqu'à sa mort, vers 429). Sur le contexte politique et sur les membres de la famille d'Alcibiade, voir l'étude de W.M. Ellis, *op. cit.*, p. 1-23.

table désastre [1]. Impliqué dans une affaire de sacrilège où la débauche le dispute à l'intrigue politique [2], jugé responsable de la défaite athénienne en Sicile, Alcibiade fut contraint de fuir Athènes pour se réfugier chez les Lacédémoniens (414-412). Il réussira toutefois à se remettre de toutes les accusations portées contre lui, de sa défaite comme de son exil, pour revenir jouer à Athènes un rôle de premier plan. Passé chez les Perses après avoir trahi les Lacédémoniens, il réussit ainsi à reprendre du service pour lutter avec la flotte démocratique athénienne qui était entrée en guerre contre le pouvoir oligarchique des Quatre

1. Les raisons pour lesquelles Athènes se décida en faveur de cette expédition, dont on peut dire qu'elle sonna son glas, sont encore controversées. Des raisons de politique intérieure et extérieure semblent se confondre, pour finalement opposer les partisans de la domination impériale, favorables depuis très longtemps à une colonisation de la Sicile, à une frange plus modérée qui souhaitait mettre fin aux hostilités déjà nombreuses dans lesquelles Athènes se trouvait engagée. Sur les événements comme sur le comportement d'Alcibiade, voir Thucydide, *Histoire de la guerre du Péloponnèse*, livres VI et VII (en VI, 16-18, Thucydide rapporte le discours d'Alcibiade devant l'assemblée, lorsqu'il s'efforce de persuader ses concitoyens de la nécessité de l'expédition ; on prend alors la mesure du personnage, comme de la fascination qu'il exerce sur l'historien : « Plus que tout autre, Athéniens, j'ai des droits à exercer le commandement [...]. Elle est loin d'être inutile, la folie de qui, à ses propres dépens, sert non seulement ses intérêts mais aussi la cité », VI, 16, 1 et 3).

2. Deux événements et deux accusations distinctes sont en cause et se mêlent dans la plus grande confusion. Quelques jours sans doute avant le départ de l'expédition sicilienne, la population athénienne découvrit au réveil ses Hermès (ces statues de pierre à l'effigie du dieu se tenaient devant les temples et les habitations) mutilés : leur tête et leur phallus détruits. Ce sacrilège, perçu aussi bien comme un attentat civique que comme le pire des présages, fut imputé à des membres de l'hétairie d'Alcibiade ; lui-même fut bientôt mis en cause, avant qu'on lui prête ensuite l'organisation, chez lui, d'une parodie des mystères d'Éleusis à laquelle Alcibiade et ses proches se seraient livrés dans la débauche. Mis en cause, Alcibiade prit la mer dans l'espoir de se défendre à son retour de ce qui semble bien avoir été une conjuration. Mais la déroute de la flotte athénienne mit fin à cet espoir comme à sa carrière. Abandonné par Athènes qui l'avait condamné à mort en son absence, Alcibiade prit la fuite pour se réfugier à Sparte.

Cents, instauré en 411. La démocratie rétablie, Alcibiade non seulement réussit à obtenir sa réhabilitation à Athènes, mais il fit même un retour triomphal en 407 avant de se voir confier les pleins pouvoirs militaires dans la poursuite des opérations contre Sparte et ses alliés. Mais la bataille de Notion, en 406, lui sera fatale ; de nouveau défait avec les troupes athéniennes, de nouveau contraint à l'exil, Alcibiade se réfugie en Thrace où les alliés du Spartiate Lysandre, avec l'aval des oligarques athéniens trop contents de se débarrasser de celui qui faisait encore et paradoxalement l'objet d'une grande ferveur populaire à Athènes, le font assassiner en 404.

Alcibiade doit sa renommée à la façon dont il semble avoir épousé chacun des épisodes du douloureux crépuscule de l'empire athénien, de ses défaites comme des révolutions oligarchiques ou des restaurations qui finirent d'achever non seulement l'empire, mais aussi et définitivement l'autonomie politique de la cité. Allégorie de cette histoire et héros de chacun de ses soubresauts, sa légende est à la mesure de la façon dont la postérité et l'histoire jugeront Athènes : toujours controversé, accusé de tous les excès, d'une ambition démesurée et de mœurs déplorables, Alcibiade est aussi et sans cesse loué pour son charisme, son audace et la manière dont il semble n'avoir jamais pu dissocier son destin de celui de sa cité. Découvrant Alcibiade et le jugeant, les témoins anciens, de Thucydide jusqu'à Plutarque [1], parlent d'Athènes. La vie de l'ambitieux, de l'ami des plaisirs et du stratège intrépide, mime le destin paradoxal d'une cité démocratique qui défendait la liberté en dominant un empire, qui cultivait le faste sur un trésor colonial extorqué aux cités « alliées » et qui périt dans des conflits qu'elle avait elle-même provoqués. Convo-

1. Sans que cette fascination s'estompe par la suite : les historiens contemporains donnent encore et toujours du personnage des représentations excessivement romanesques (voir par exemple J. de Romilly, *Alcibiade ou les dangers de l'ambition*, Paris, éditions de Fallois, 1995).

quant Alcibiade dans trois de ses dialogues, Platon ne fait pas autre chose. Il montre une certaine Athènes, celle de Périclès, pour laquelle le philosophe n'a toutefois ni l'indulgence de Socrate ni l'étrange fascination de Thucydide.

Alcibiade, après Socrate qui fut son amoureux à défaut d'avoir pu être son maître, est le personnage le plus présent des dialogues platoniciens [1]. On le retrouve dans le *Protagoras*, l'*Alcibiade* et le *Banquet*, à différentes époques de son existence. Il a quinze ans ou un peu plus, « l'âge de la première barbe », lorsqu'il prend part à la discussion du *Protagoras* [2], il en a environ trente-cinq lorsqu'on le retrouve, ivre et toujours épris de Socrate, dans le *Banquet*. Dans ce dialogue où il fait d'une certaine manière ses adieux à Socrate (la scène se passe aux environs de 416), Alcibiade est à son apogée, à la veille de la mutilation des Hermès et de l'expédition de Sicile [3]. Dans l'*Alcibiade*, trois ou quatre ans après la scène rapportée dans le *Protagoras*,

1. On pourrait encore ajouter que le personnage fictif de Calliclès, dans le *Gorgias*, doit sans doute énormément à Alcibiade ; les lecteurs contemporains ne devaient pas manquer de faire le rapprochement (il est du reste explicitement suggéré, en *Gorgias* 481c-d et 519a-b, qu'il faut comparer à la fin de l'*Alcibiade* 135e).

2. La date dramatique du *Protagoras* avoisine l'année 435. Voir sur ce point l'Introduction de la traduction du dialogue par F. Ildefonse, Paris, GF-Flammarion, 1997, p. 7-17 deuxième édition corrigée, 2000. Pour un rapprochement doctrinal entre le *Protagoras* et l'*Alcibiade*, voir A. Motte (1961), « Pour l'authenticité du *Premier Alcibiade* », p. 28-32.

3. Comme le fait remarquer P. Friedländer, le *Banquet* reprend l'*Alcibiade* afin d'achever le portrait d'une rencontre manquée entre Alcibiade et Socrate, le premier reconnaissant qu'il n'a pas su faire le bon choix entre le soin de soi-même et les affaires d'Athènes (*Banquet* 216a, qui fait écho à *Alcibiade* 135e). Voir P. Friedländer (1964), *Plato*, II, p. 242-243 pour d'autres rapprochements tout aussi décisifs entre les deux dialogues.

il a presque vingt ans (123d), et Périclès n'est pas encore mort : la scène doit avoir lieu en 432, au moment où débute la guerre du Péloponnèse [1]. L'éducation d'Alcibiade est achevée, il peut entrer dans la carrière.

b. Socrate

Le Socrate de l'*Alcibiade* ne diffère guère de l'interrogateur bienveillant qu'on trouve dans ceux des dialogues platoniciens qu'on appelle « socratiques » (au premier rang desquels, pour la ressemblance des propos tenus et le ton des remarques, l'*Euthyphron*), ou encore dans ceux qui leur sont sans doute immédiatement postérieurs (dont le *Charmide*). Une bienveillance qui est d'autant plus grande qu'Alcibiade n'est pas simplement l'un de ces jeunes Athéniens privilégiés que Socrate avait entrepris de former : il est le plus cher d'entre eux, celui qu'aime Socrate [2]. À cet amour jamais assouvi, que ce soit sexuellement ou pédagogiquement, les dialogues platoniciens consacrent une attention toute particulière, pour en

1. Encore une fois, Alcibiade entre en politique lorsque Athènes entre en guerre ; ni le premier ni la seconde ne se remettront de cet engagement. On peut donc faire l'hypothèse que le dialogue a lieu à la veille de la campagne de Potidée, à l'été 432 (c'est durant cette campagne, d'après le récit qu'en fera Alcibiade dans le *Banquet* 219e-221c, que Socrate lui sauva la vie).

2. Dans le *Gorgias* (481d), Socrate avoue deux amours : Alcibiade et la philosophie. Alcibiade et Socrate sont amants. Sur l'aspect et la signification de la relation homosexuelle, voir les explications de K.J. Dover, *L'Homosexualité grecque* [1978], Grenoble, La Pensée sauvage, 1982 pour la traduction française, puis M. Foucault, *L'Usage des plaisirs*, Paris, Gallimard, 1984. La relation homosexuelle, telle qu'elle était tolérée et louée, supposait que l'amant d'âge mûr prenne soin de l'éducation de son aimé adolescent, de telle sorte que leur relation sexuelle ne soit que l'un des aspects de l'éducation à la virilité du jeune homme, et que l'adulte conserve sur lui un ascendant (voir K.J. Dover, *op. cit.*, p. 104-137). Socrate et Alcibiade dérogent à cette relation amoureuse : le premier dit aimer le second sans l'avoir jamais abordé durant son adolescence, et ils n'auront jamais par la suite le moindre rapport sexuel (si l'on en croit Platon).

faire l'exemple même d'un certain échec socratique [1]. Alcibiade, le plus aimé des jeunes hommes, est celui qui, en dépit de la constante affection de Socrate, n'aura pas su se réformer. Dans l'*Alcibiade*, Socrate tente d'achever l'éducation d'Alcibiade en l'encourageant à se connaître et à s'améliorer lui-même ; c'est à cet effet qu'il conteste les certitudes et les ambitions du jeune homme, en réfutant les plus solides de ses croyances. Socrate met alors en œuvre, dans la discussion, la méthode de *réfutation* qui lui est propre : elle consiste à mettre à l'épreuve les opinions de l'interlocuteur que l'on questionne, en le conduisant à déduire toutes les conséquences de ses opinions, jusqu'au moment où la contradiction en devient manifeste à ses yeux [2].

Des remarques qui précèdent comme de l'aspect général des arguments du dialogue, on peut déduire que l'*Alcibiade* n'est pas un dialogue « socratique » ou « de jeunesse », mais qu'il est plutôt contemporain du *Gorgias*, sans qu'on ait à trancher la question de l'antériorité de l'un sur l'autre, dont l'importance n'est pas

1. C'est, à terme, le bilan de cet échec que le *Banquet* dressera (212c-223a, et les explications de L. Brisson, Paris, GF-Flammarion, 1999).

2. La réfutation (*élegkhos*) est une méthode démonstrative, qui ne peut être mise en œuvre qu'à la faveur d'un entretien. Elle est caractéristique de la manière dont Socrate s'entretient avec ses interlocuteurs dans les dialogues de Platon. Une discussion philosophique (ce qu'on nomme proprement « dialogue ») doit être soumise à des règles qui sont à la fois les conditions de son succès (atteindre à la définition de l'objet de la recherche et disqualifier les opinions erronées sur son compte) et la spécificité de l'usage philosophique du discours (ainsi distingué de la rhétorique politique ou judiciaire, mais aussi des vaines querelles de « l'éristique », c'est-à-dire de l'opposition infinie de définitions concurrentes). Dans le *Gorgias*, Socrate énumère progressivement ces règles du discours philosophique, avant de définir, en 471d-472c, la spécificité de la réfutation philosophique. Sur cette question importante, voir G. Vlastos, « The Socratic Elenchus » (article de 1953 modifié et repris dans les *Socratic Studies*, éditées par M. Burnyeat, Cambridge, Cambridge University Press, 1993), puis surtout l'étude de L.-A. Dorion, « La subversion de l'*elenchos* juridique dans l'*Apologie de Socrate* », *Revue philosophique de Louvain*, 88, 1990, p. 311-343.

décisive. Ce sont des textes contemporains, dont l'orientation éthique et politique est commune, et qui jouent l'un à l'égard de l'autre le rôle de compléments. *A posteriori*, ils sont tous deux par ailleurs en attente du développement conjoint qu'ils supposent et appellent sans le produire : celui de la résolution des difficultés politiques, éthiques et psychologiques qui occuperont la *République*. De sorte que c'est bien à l'ensemble dans lequel on regroupe traditionnellement le *Ménon*, l'*Euthydème* et le *Gorgias* qu'on peut être enclin à rattacher l'*Alcibiade* [1].

3. Apprendre Platon en lisant l'*Alcibiade*

a. L'Alcibiade *à l'école du platonisme ancien*

Onze siècles durant [2], l'étude de la philosophie platonicienne reçut pour introduction la lecture de l'*Alcibiade*. On apprenait Platon en commençant par l'*Alcibiade* [3]. Ce privilège scolaire incomparable valut

1. C'est du moins là mon hypothèse de lecture. Elle a déjà été défendue par P. Friedländer dans ses analyses successives du dialogue, et elle semble aujourd'hui être partagée par M.-L. Desclos (voir son introduction à l'*Alcibiade*).

2. Onze siècles au moins, car, si l'existence continue d'une école platonicienne s'achève sans doute à la fin du VIIe siècle, les commentateurs arabes, médiévaux et renaissants ne paraissent pas avoir dérogé à la règle selon laquelle l'*Alcibiade* était la meilleure introduction à Platon. Au Xe siècle, al-Fârâbi soutient ainsi dans sa présentation de la *Philosophie de Platon et d'Aristote*, que l'ensemble de la première réflexion éthique de Platon sur l'excellence humaine est contenue dans l'*Alcibiade* (I, 1-2). Tous les Anciens ne réservaient toutefois pas à l'*Alcibiade* ce rôle introductif (voir le témoignage de Diogène Laërce sur la question, III, 62).

3. Le meilleur exemple en est donné par un texte anonyme, les *Prolégomènes à la philosophie de Platon*, qui sont sans doute les notes d'un cours professé par l'un des maîtres de l'école platonicienne d'Alexandrie, dans la seconde moitié du VIe siècle de notre ère. Bien plus tôt, Jamblique (c. 240-325) désignait déjà l'*Alcibiade* comme le dialogue « où tout Platon était contenu, comme à l'état de germe » (fragment 1 cité par Proclus ; les fragments conservés du commentaire que Jamblique avait consacré à l'*Alcibiade* sont édités et traduits par J.-M. Dillon, *Iamblichi Chalcidensis. In Platonis dialogos commentarium fragmenta*, Leyde, Brill, 1973, p. 72-83 et 229-238).

au dialogue d'être abondamment commenté par chacun des grands maîtres des écoles platoniciennes successives [1], à Athènes comme à Alexandrie, mais aussi d'être la source où les philosophes allaient puiser des exemples, des arguments ou des définitions [2]. La raison de ce privilège était sans doute double : il fallait commencer par l'*Alcibiade*, car il était indispensable, comme y invite ce dialogue, de commencer par se connaître soi-même avant d'entamer toute autre étude, mais aussi, parce que l'entretien qui y est rapporté donnait des principes de l'éthique platonicienne l'exposé qui semblait le plus clair. Cité par un grand nombre de philosophes ou de lettrés (qui, pour certains, ne connaissaient peu ou rien à Platon) ou commenté ligne à ligne par les platoniciens, l'*Alcibiade* paraît avoir toujours été considéré comme un élément majeur de la réflexion éthique, c'est-à-dire de la recherche du statut et des conditions de la vie la meilleure. C'est ce dont témoignent suffisamment les discussions des commentateurs platoniciens sur ce qui devait être considéré comme l'objet principal du dia-

1. Sur le sujet, voir l'indispensable et très complète introduction d'A.-P. Segonds au commentaire de Proclus (412-485), *Sur le Premier Alcibiade de Platon* (noté *In Alc.* par la suite), I, p. X-CXXV, qui présente les lectures et commentaires successifs de l'*Alcibiade* par les néoplatoniciens Plotin (c. 205-270), Jamblique, Syrianus (?-c. 438), Proclus, Damascius (c. 460-c. 540) et Olympiodore (c. 500-c. 565). Toute la postérité platonicienne du dialogue y est présentée, de telle sorte qu'on est dispensé ici de répéter cette histoire.

2. On doit prendre garde à ne pas confondre ces deux usages de l'*Alcibiade*, qui relèvent de deux traditions différentes d'ouvrages postérieurs : ceux qui citent l'un ou l'autre passage du dialogue et ceux qui le commentent dans la tradition platonicienne. Que ces deux usages puissent être associés ne justifie aucunement qu'on les confonde (en supposant, par exemple, qu'il existe une « tradition » homogène de l'*Alcibiade* qui réunirait tous les auteurs platoniciens, stoïciens ou chrétiens, chez qui l'on trouve le thème d'une connaissance de soi dans l'âme d'autrui et « en dieu » ; c'est à la reconstitution d'une telle tradition que s'attachent toutefois P. Courcelle (1974), *Connais-toi toi-même de Socrate à saint Bernard*, et J. Pépin (1971), *Idées grecques sur l'homme et sur Dieu*).

logue [1]. Ainsi, en dépit de divergences doctrinales parfois considérables, des commentateurs tardifs de l'*Alcibiade* comme Proclus et Damascius (aux Vᵉ et VIᵉ siècles de notre ère) s'accordent pour comprendre que le dialogue conduit une réflexion éthique dont le but est d'établir que se connaître soi-même, c'est se connaître comme âme [2]. Les commentateurs platoniciens, là encore unanimement, soulignent que Platon, conduisant cette recherche éthique de ce que nous sommes nous-mêmes, a cherché avant tout à élucider les conditions psychologiques de la direction de l'existence humaine, privée et commune [3].

Admise donc depuis l'Antiquité, l'authenticité de l'*Alcibiade* n'est toutefois plus de mise aujourd'hui, depuis qu'on a entrepris de la contester, au XIXᵉ siècle.

b. La suspicion des modernes

C'est précisément son usage scolaire ancien, et le style scolaire qui serait celui du dialogue lui-même, qui a conduit les modernes à soupçonner l'authenticité d'un texte qui leur a paru être davantage le texte de l'école platonicienne qu'un texte de Platon.

C'est le grand philologue allemand F. Schleiermacher qui fut le premier, en 1809, à contester l'authen-

1. Ce que les commentateurs appelaient le *skopós* du dialogue, son « but », l'objectif auquel on peut le résumer tout entier (cette manière de faire paraît beaucoup devoir au néoplatonicien Jamblique ; voir les explications de L. Brisson et A.-P. Segonds, Introduction à Jamblique, *Vie de Pythagore*, Paris, Les Belles Lettres, 1996, p. VIII).

2. Après quoi les commentaires divergent, puisque Damascius soutient contre Proclus une interprétation plus politique de l'amélioration de soi (c'est en tant que citoyen que nous devons nous connaître nous-mêmes) ; là encore, voir l'Introduction citée d'A.-P. Segonds pour davantage de détails et des compléments bibliographiques.

3. Autrement dit, et nous pouvons en cela être fidèle à ces commentateurs, le sujet de l'*Alcibiade* n'était à leurs yeux rien d'autre que la nature de l'âme adéquate à l'éthique : étant donné les exigences de l'amélioration de soi (ce que les néoplatoniciens nommaient la « conversion » de l'âme), quelle est la nature de l'âme susceptible de les expliquer et de les satisfaire ?

ticité du dialogue [1]. Depuis, la question est régulièrement débattue chez les spécialistes, qui s'accordent le plus souvent pour reconnaître à l'*Alcibiade* un étrange statut d'exception, celui d'un dialogue *apocryphe, mais non pas anachronique.* En bref, le texte ne saurait être de Platon, car il présente des caractéristiques stylistiques ou méthodologiques qui le distinguent par trop des autres dialogues, mais il n'en demeure pas moins contemporain ou immédiatement ultérieur aux écrits platoniciens, car il reste fidèle à la philosophie qui est la leur [2]. On se trouve donc devant un objet hybride dont on voit bien qu'il faut le lire et le commenter, puisqu'il conserve un intérêt doctrinal, mais qu'on répugne à attribuer à Platon. Pour mieux comprendre ce qui inspire cette réticence, sans toutefois lui accorder ici trop d'importance, je vais résumer rapidement les principaux arguments de ceux qui souhaitent expulser l'*Alcibiade* du *corpus* platonicien. On peut en distinguer cinq, qui sont du reste souvent associés par les adversaires de l'authenticité [3]:

1) La caractéristique générale de la forme du dialogue, élémentaire et dogmatique, le distingue de tous les autres dialogues platoniciens ; alors que ces dialogues ont un cours le plus souvent circulaire, ponctué

1. Dans la courte introduction à sa traduction de l'*Alcibiade.*

2. Force est de constater que, du point de vue de la doctrine platonicienne, ce dialogue ne comporte aucun propos hérétique, aucune sorte d'erreur ou de contresens et, surtout, aucune trace d'influence étrangère à la philosophie platonicienne. À la différence des autres dialogues qu'on tient unanimement pour apocryphes (parmi lesquels le « *Second* » *Alcibiade*), il ne montre aucune de ces faiblesses de style qui dénoncent le plus souvent les œuvres imitées *à la manière de* Platon.

3. Parmi les adversaires de l'authenticité et pour se faire une idée plus précise de leurs motifs, on peut consulter deux textes : l'argumentaire détaillé d'E. de Strycker (1942), « Platonica I. L'authenticité du *Premier Alcibiade* », puis, récemment, la note de M. Dixsaut, à la fin de son *Naturel philosophe. Essai sur les dialogues de Platon*, Paris, Vrin, 1995 [2], p. 377. L'Annexe 1, en fin de volume, p. 219-220, s'efforce de répertorier la majorité des opinions des éditeurs, traducteurs et principaux commentateurs contemporains quant à l'authenticité de l'*Alcibiade.*

d'hésitations et de retours à des questions antérieures, l'*Alcibiade* est construit selon un enchaînement linéaire de démonstrations qui, de surcroît, paraissent relativement autonomes, à la manière de chapitres scolaires. 2) Le style de l'*Alcibiade* ne ressemble pas à celui des autres « dialogues de jeunesse » auxquels on devrait pouvoir l'associer ; ainsi y trouve-t-on un certain nombre de termes, des hapax ou des bizarreries [1], qui non seulement ne paraissent guère convenir au contenu des autres premiers dialogues, mais qui l'apparentent de surcroît à des œuvres de la maturité ou de la vieillesse [2]. 3) Au sens strict et platonicien du terme, on soutient ensuite que l'*Alcibiade* n'est pas un dialogue : en effet, ici on n'entend guère que Socrate parler, Alcibiade se contentant d'approuver ce qui est bien davantage un cours professé qu'une discussion ou même une entreprise de persuasion. Dans le même sens, Socrate s'adresse de haut à Alcibiade, dans une relation de maître à élève dépourvue de l'affection amicale que manifeste toujours Socrate à l'égard des jeunes gens. 4) Le dialogue montre encore, outre cette rigidité scolaire, un caractère abstrait lui aussi inhabituel. Ainsi détonne-t-il de nouveau par sa rigueur démonstrative et par l'absence des indications ailleurs abondantes sur le cadre de l'entretien, le comportement comme le ton des différents interlocuteurs. Dans l'*Alcibiade*, les personnages ne paraissent être en aucune façon incarnés dans la discussion. 5) Enfin, du point de vue de la recherche philosophique, le dialogue ne montre aucune hésitation et, à la différence des premiers dialogues souvent aporé-

1. De Strycker, *art. cit.*, p. 145-149 (qui reprend pour l'essentiel les réserves de P. Shorey, *What Plato Said*, Chicago et Londres, University of Chicago Press, 1933, p. 652).

2. Par exemple, ce qui est dit dans la « fable royale » (121a-124b) des quatre vertus cardinales n'est pas établi par Platon avant la *République* ; ou encore, dans le même récit, les remarques sur le régime perse ressemblent étrangement à ce qu'on trouve dans les *Lois* (sur le premier point, de Strycker, *art. cit.*, p. 146-147 ; sur le second, R. Weil (1964), « La place du *Premier Alcibiade* dans l'œuvre de Platon », p. 80-82).

tiques ou de ceux de la série *Ménon*, *Euthydème*, *Gorgias*, l'entretien qu'il rapporte ne paraît pas être une réflexion en attente de développements ultérieurs ou d'éclaircissements : l'*Alcibiade* est « suffisant », il trouve toujours réponse aux questions posées. En conclusion de quoi, l'on a pu soutenir que ce dialogue, loin d'être étranger à l'œuvre de Platon, en est au contraire, et finalement, trop proche, comme le serait une sorte de *digest* ou de collection d'arguments doctrinaux fameux conçue bien évidemment pour un usage scolaire. L'*Alcibiade*, reconnu *trop platonicien* [1], se trouve ainsi, et le plus souvent aujourd'hui, attribué à un disciple qui l'aurait rédigé du vivant de Platon ou immédiatement après sa mort.

Sans mettre à l'épreuve le détail de leurs arguments [2], on doit faire remarquer que les adversaires de l'authenticité soulignent tous à la fois que le contenu de l'*Alcibiade*, « pris en gros, est authentiquement platonicien [3] », et que son auteur présumé devait être un proche de Platon. Ils se trouvent ainsi dans l'obligation de présenter le dialogue comme *un texte platonicien qui ne serait pas de Platon*, avec toutes les conjectures ou les hypothèses, parfois saugrenues, que cela peut entraîner [4], sans qu'aucun d'entre eux ne puisse s'au-

1. C'est la formule de M. Dixsaut, *op. cit.*, p. 377 : « C'est à une leçon que l'on assiste, elle nous propose une série d'équations : le juste est beau, le beau est bon, le bon est avantageux, donc le juste est avantageux. Tout dans le dialogue est " platonicien ", mais trop : trop en ce que tout est dit, toutes les thèses et tous les thèmes des dialogues socratiques sont repris, mais sans qu'aucune question soit vraiment posée. Il s'agit d'une exposition, et elle est loin d'être inintelligente, elle est seulement linéaire et plate, à une seule dimension. Il n'y a dans l'*Alcibiade* que des contenus et des résultats. » J. Burnet soulignait déjà (en note de son édition de l'*Euthyphron*, Oxford, 1924, p. 37-38) que l'*Alcibiade* était « une introduction de la première Académie à la philosophie socratique ».

2. J. Annas (1985) le fait pour partie et de façon convaincante dans « Self-Knowledge in Early Plato ».

3. Selon l'expression d'E. de Strycker, *art. cit.*, p. 144.

4. Ainsi et d'emblée F. Schleiermacher puis P. Shorey faisaient-ils l'hypothèse d'une rédaction à plusieurs mains, en supposant que les parties « convenables » du dialogue pouvaient être de Platon,

toriser à dater tardivement le texte, qu'ils attribuent alors toujours à l'un des contemporains de Platon ou à l'un de ses premiers élèves (Xénophon ou l'un de ses proches, Eschine le socratique, voire Speusippe ou quelqu'un de l'âge d'Aristote [1]). On le voit, la question de l'authenticité est finalement davantage une affaire d'impression ou de sentiment, dans la mesure où tous les lecteurs reconnaissent l'intérêt du texte et sa valeur platonicienne. Mais la question n'est pourtant pas négligeable, d'autant moins qu'on admet ici l'authenticité de l'*Alcibiade*. Parmi les cinq types d'arguments qui lui ont été opposés, seuls le second et le cinquième méritent quelques remarques [2]. S'agissant du second, il est tributaire du présupposé, commun à la plupart des commentateurs, selon lequel l'*Alcibiade* serait un « dialogue de jeunesse ». Si l'on conteste ce point, comme je le fais en rapprochant l'*Alcibiade* du *Gorgias*, c'est une bonne partie des enjeux qui se trouve modifiée. Quant au cinquième, si l'on parvient à montrer

---

mais que le reste avait dû être achevé ou complété par un disciple de moindre talent. Dans le même esprit, P.M. Clark (1955) a entrepris de séparer encore plus précisément la part qui doit revenir au maître ou au disciple, tout en soutenant que ce dernier n'avait pu rédiger son texte que sous l'autorité du maître ; voir « The *Greater Alcibiades* ». Comme le constate avec humour J. Annas, « le désespoir des hypothèses [des adversaires de l'authenticité] montre que la difficulté fondamentale vient de [leur] incapacité à donner une signification à l'ensemble du dialogue en termes de thèmes directeurs », *art. cit.*, p. 114.

1. Un membre de la première génération de l'Académie, comme le soutiennent notamment R.S. Bluck (1953), « The Origin of the *Greater Alcibiades* » et A. Linguiti (1983), « Amicizia e conoscenza di sé nell'*Alcibiade Primo* e nelle *Etiche* di Aristotele ». E. de Strycker risque quant à lui l'hypothèse Speusippe, *art. cit.*, p. 151.

2. Une lecture attentive du dialogue me paraît suffisante afin d'écarter les trois autres : elle devrait établir (contre l'argument 1) que l'*Alcibiade* n'est pas un texte linéaire, au contraire, pas plus qu'il n'est dépourvu d'hésitations ou de retournements ; que (contre 3) la forme, certes particulière, de l'entretien ne borne pas le rôle d'Alcibiade à celui d'approbateur ; et que (contre 4) la recherche n'a pas le caractère abstrait qu'on lui trouve, d'autant moins qu'elle est précisément vouée à l'élaboration et à la définition d'un objet inconnu, le « soi ».

que l'*Alcibiade* rencontre comme tout autre dialogue des difficultés, dont certaines restent irrésolues, on pourra alors montrer qu'il n'est pas simplement un exposé scolaire synthétique et suffisant.

Quoi qu'il en soit et sans entrer plus loin dans des débats qui tiennent finalement à très peu de chose [1], on doit prendre la mesure du contexte puis de la portée philosophiques de ce texte en le rapportant aux dialogues qui partagent avec lui un certain nombre de préoccupations et de problèmes. Au premier rang de ceux-ci figurent le *Charmide*, le *Gorgias* et la *République*. Compte tenu des questions qui occupent ces trois dialogues, on devra prêter attention, lisant l'*Alcibiade*, à l'état de la psychologie platonicienne ici présentée (qu'est-ce que l'âme, quelles sont ses fonctions et son excellence et comment parvient-on à identifier l'homme à l'âme ?), puis à la question éthique et politique dont l'entretien fait son objet (pourquoi se soucier de soi avant de gouverner les autres, qu'est-ce qu'une bonne politique et qu'est-ce qui fait la bonté d'un particulier et la bonté d'une cité ?). C'est l'examen respectif et comparé de la question de l'âme et de celle de la politique qui permettra d'établir que l'*Alcibiade* est contemporain d'une discussion qu'on trouve entamée dans le *Charmide*, conduite dans le *Ménon*, l'*Euthydème* et le *Gorgias*, puis achevée dans la *République*. S'il existe une originalité et, partant, une authenticité de l'*Alcibiade*, c'est en ce point de rencontre de la psychologie et de la politique, de la connaissance et du soin de l'individu comme de la communauté, qu'elle doit consister. Et c'est bien là l'objet des premières pages du dialogue, lorsque Socrate exige d'Alcibiade, au moment où celui-ci s'apprête à embrasser une carrière politique (105a), qu'il se connaisse lui-même avant de gouverner les autres.

1. D'autant moins que l'immense autorité que lui ont conférée les philosophes anciens devrait suffire à motiver la bienveillance de notre lecture.

4. La rencontre : érotique et politique

La déclaration de Socrate abordant pour la première fois Alcibiade (103a-104c) est à la fois d'amour et de maîtrise ; elle relève aussi bien de la séduction érotique que du discours pédagogique : Socrate est celui qui aime Alcibiade, mais qui sait aussi ce qui manque à sa formation et ce qui peut convenir à son accomplissement. Le portrait du jeune homme est un portrait d'expérience, que Socrate déclare livrer au terme d'une observation longue de plusieurs années [1]. Que le courtisan ose se présenter à l'objet de son amour sans lui proposer autre chose que son propre portrait est bien sûr une étrangeté – Alcibiade ne manque pas de s'en étonner – qui contrevient aux habitudes de la relation érotique. Alors que celle-ci exige, d'une manière ou d'une autre, un certain *rapport*, Socrate adopte la position, qui n'est pas de circonstance, d'un observateur. Et ce n'est pas le seul paradoxe de sa « déclaration » ; en effet, non seulement Socrate fait un aveu d'amour ancien à un jeune homme qu'il n'avait jamais approché auparavant, mais il le lui fait de surcroît au moment même où le jeune homme n'est plus en mesure de recevoir cet aveu. L'adolescent entrant dans l'âge adulte, il n'est plus concevable qu'il entretienne une relation amoureuse avec un autre adulte. Tout est donc ici faussé : Socrate se déclare trop tard et ne propose rien qui corresponde à ce qu'on attend d'un amant. Cette déclaration hors du commun est doublement motivée. D'abord, comme le souligne Socrate, du fait d'Alcibiade lui-même, qui s'est tou-

1. Socrate suggère qu'il ne s'est pas contenté, des années durant, de regarder ou d'admirer Alcibiade, comme ont pu le faire tous ses autres courtisans ; il l'a *observé*, au sens fort du terme (le verbe *skopeîn*, observer, scruter, désigne aussi bien le fait d'examiner et de juger), il a *réfléchi* à ce qu'était Alcibiade (103b). Ce motif de la vue, qui est d'emblée associé à celui de la connaissance (Socrate prétendant être le seul à connaître Alcibiade), a une importance déterminante dans un dialogue dont l'objet est précisément la possibilité de se voir soi-même.

jours dérobé à la relation amoureuse ordinaire, en refusant que quiconque lui vienne en aide, le forme et prenne soin de lui (104a), au point d'inverser le schéma courant de la maîtrise érotique [1] : Alcibiade est celui qui a « dominé tous ses amoureux » (104c et e). Ensuite, et c'est la conséquence aux yeux de Socrate de cette inversion des rôles, Alcibiade n'a pas été éduqué. Le portrait du jeune homme, en dépit des qualités dont il fait la liste (en louant sa beauté, son intelligence, sa naissance et sa richesse), est aussi le diagnostic d'un défaut ; l'adolescent qui est au seuil de la vie adulte s'est soustrait à un soin et à une pédagogie dont Socrate montre qu'ils lui font défaut. Ce faisant, il rappelle Alcibiade à la relation érotique. Non pas au seul rapport sexuel, qui se trouve parfaitement écarté [2], mais au rôle pédagogique que peut jouer cette relation lorsque l'aimé acquiert grâce à l'amant une certaine maîtrise de lui-même. La proposition de Socrate prend alors la forme d'une dernière chance offerte à Alcibiade, de la dernière occasion pour lui de suppléer à ce que ses autres amants, trop impressionnés par sa beauté et sa puissance, n'ont pas su lui offrir. Socrate attribue deux causes à cette déclaration tardive : son amour pour Alcibiade qu'il voit donc mal engagé dans la carrière qui l'attend, et l'influence d'un agent divin, son très fameux « démon », qui l'aurait enfin autorisé à aborder le jeune homme, à ce moment précis où son existence bascule de l'adolescence à l'âge adulte, de l'éducation privée à la vie publique.

Le « démon » de Socrate, dont les dialogues font souvent mention [3], se manifeste en lui sous la forme

1. Or, comme on l'a signalé, la relation homosexuelle n'est légitime qu'à la condition que l'amant adulte contribue à la formation de l'aimé adolescent.

2. Ce qui, s'agissant d'Alcibiade, est plutôt humoristique. Il était en effet légendairement connu pour son appétit sexuel excessif et pour son incapacité, quelle que soit la situation, à le réfréner. Platon y fait encore une allusion dans la « fable royale », en 121b (voir la note 87 de la traduction).

3. Le terme grec *daimōn* n'a pas la connotation malveillante de

d'une prévention divine, dont l'objet est toujours d'interdire à Socrate d'agir ou de discourir comme il s'apprêtait à le faire. Ce dernier s'en expliquera ainsi, dans le *Phèdre* : « Comme j'allais traverser la rivière, mon bon, le signal divin, celui dont j'ai l'habitude, s'est manifesté en moi ; or, il me retient toujours quand je suis sur le point de faire une chose. J'ai cru entendre une voix qui venait de lui et qui m'interdisait de m'en aller avant d'avoir expié pour une faute contre la divinité [1]. » Où l'on voit que l'intervention ponctuelle du démon, sous la forme d'un signal [2], consiste toujours à interdire une action à Socrate, sans toutefois lui dire ce que cette action, ou ce discours, a de répréhensible [3]. Le signal divin doit donc toujours être suivi

---

notre « démon ». « *Daimōn* » peut désigner un dieu ou une déesse quelconque, et devenir ainsi synonyme de *theós*. Plus précisément, les démons sont désignés, à la suite d'Homère, comme des divinités de second rang ; ils sont inférieurs aux dieux dont ils sont issus, intermédiaires entre les divinités de premier rang et les hommes avec lesquels ils entretiennent des relations privilégiées (à la manière de « génies » tutélaires). Ils sont alors attachés à un homme ou à un groupe d'hommes (une cité par exemple) sur la destinée desquels ils veillent. Socrate y fait allusion dans l'*Apologie de Socrate* 31c-d, 40a-c ; l'*Euthyphron* 3b ; l'*Euthydème* 272e ; la *République* VI, 496c ; le *Théétète* 151a ; le *Phèdre* 242b-c ; le *Banquet* 202d-e, 219b-c ; et enfin, dans l'*Epinomis*, 992c. Dans les dialogues, les « démons » conservent toujours leur statut traditionnel de divinités intermédiaires, immortelles mais de second rang (voir le *Phèdre* 246e-247b).

1. *Phèdre* 242b-c ; l'erreur en question est d'avoir parlé de l'amour, qui est un dieu, comme de quelque chose susceptible d'être mauvais.

2. Un *daimónion sēmeîon*, comme ici, en *Alcibiade* 103a.

3. Tous les portraits anciens de Socrate mentionnent l'existence de ce démon et le rôle surnaturel qu'il joue dans la conduite socratique. À la fin du Ier siècle de notre ère, le platonicien Plutarque en proposera une longue explication, dans *Le Démon de Socrate*. Plutarque soutient que, si la philosophie s'est instituée contre la superstition religieuse et l'invocation des songes (§ 9), Socrate n'était pourtant pas un impie, comme on l'en avait accusé (§ 20). Ainsi son fameux « démon » n'était pas une vision, mais plutôt la perception d'une voix ou l'intelligence d'une parole qui lui parvenait d'une manière extraordinaire (mieux encore, par le moyen d'une perception extrêmement développée, grâce à l'équilibre exceptionnel de

d'une réflexion, d'une interprétation qu'il revient à l'entretien de produire : l'interdiction divine se présente comme une invitation à la réflexion, dont elle *signale* la nécessité. De sorte que Socrate n'abrite en lui nulle divinité, mais qu'il reçoit plutôt une invitation divine à la réflexion. L'*Alcibiade* précisera peu à peu la teneur du lien d'emblée établi entre la réflexion et le divin : en affirmant d'abord que le divin exige une certaine connaissance de soi (comme y appelle le précepte delphique), puis en définissant à terme la réflexion elle-même comme quelque chose de divin.

Autorisée par ce signal divin et motivée par l'âge et la vocation d'Alcibiade, la rencontre qui donne à l'entretien de l'*Alcibiade* son préambule va maintenir l'ensemble du dialogue dans les limites très restreintes du seuil critique qui sépare deux époques de l'existence d'Alcibiade. Alors que ce dernier s'apprête littéralement à monter à la tribune pour s'adresser au peuple assemblé, Socrate l'arrête un instant et tente de transformer cette courte halte en une réflexion sur un destin. Il arrête le jeune homme et tente de l'intéresser, une dernière fois, à tout ce qui est susceptible d'intéresser une existence : ce que l'on sait et peut attendre de soi, des autres, mais encore du divin et de l'existence humaine en général. Si Socrate réussit à arrêter Alcibiade, c'est en le séduisant, en intéressant son désir et son ambition. L'histoire est connue et l'on sait que Socrate n'aura pu interrompre qu'un instant la marche d'Alcibiade, mais l'instant de cet entretien fictif est l'occasion d'une promesse que d'autres doivent entendre : l'amélioration de soi est la condition d'une vie heureuse.

L'entretien commence ainsi au prétexte d'une ambiguïté, alors qu'Alcibiade accepte la proposition que lui

---

son âme). Le mérite de cette rationalisation du « signal démonique » tient sans doute à la manière dont elle associe ce signal à une certaine réflexion ; c'est précisément ce que suggère la fin de l'*Alcibiade*. Sur le démon socratique, voir encore les remarques de G. Vlastos, *Socrate : ironie et philosophie morale*, Paris, Aubier, 1994, p. 382-384.

fait Socrate de mettre sa propre puissance au service de l'ambition du jeune homme, de son désir de puissance, sans pour autant savoir ce que Socrate peut lui apporter, sans savoir en quoi consiste la puissance socratique. C'est bien parce qu'il a intéressé le désir d'Alcibiade que Socrate sera écouté de lui. Et c'est pour cette même raison que Socrate obtient d'Alcibiade une concession décisive quant à la forme de leur entretien : celui-ci ne procédera pas comme un « long discours » (106b), mais par questions et réponses. Autrement dit, il ne se déroulera pas selon les règles d'une rhétorique persuasive qui est celle des discours des assemblées politiques ou juridiques, mais selon celles du dialogue. Ce seront les opinions d'Alcibiade lui-même qui devront être examinées, prises comme des hypothèses dont on devra éprouver la pertinence (106b-c [1]). Une telle réfutation suppose, puisque c'est là son désir et son objectif de carrière, qu'on discute des prétentions politiques d'Alcibiade, en examinant les compétences et connaissances que celui-ci s'apprête à faire valoir devant ses concitoyens.

5. Examen des compétences d'Alcibiade

C'est dans le contexte oratoire et délibératif de l'assemblée démocratique qu'Alcibiade doit « entrer en politique ». Parce que entrer en politique, à Athènes, c'est monter à la tribune, Alcibiade séduit par Socrate doit attendre de lui, comme d'un maître de rhétorique, qu'il le renseigne sur les discours à tenir, sur la manière de faire impression afin d'obtenir l'assentiment et le vote du peuple assemblé. Mais contre l'usage qui voudrait que le successeur désigné de

1. La distinction de la rhétorique politique (discours persuasif) et de l'entretien socratique (examen par questions et réponses) est courante dans les dialogues platoniciens. Alcibiade lui-même la signale par exemple dans le *Protagoras* 336b-c, et Socrate la rappelle dès le début du *Gorgias* 449b-c. Elle avait été faite dès l'*Hippias mineur* 372e-373a.

Périclès prenne la parole lorsqu'il en a l'âge et le désir, Socrate met au commencement de cette carrière toute tracée une condition : le jeune héritier devra parler à la tribune et intervenir dans une délibération *en connaissance de cause*[1]. L'entretien se consacre alors à la réfutation de l'hypothèse selon laquelle Alcibiade posséderait des connaissances, c'est-à-dire des compétences politiques. En 116e, ce dernier concèdera, honteux, son ignorance.

L'examen de type réfutatif qui commence en 106d-e distingue deux modes d'acquisition d'une connaissance quelconque : l'instruction (apprendre quelque chose de quelqu'un) et la découverte (rechercher et apprendre quelque chose par soi-même). Ainsi présentée, l'acquisition de la connaissance exclut d'emblée deux possibilités : qu'il y ait des connaissances innées[2], mais aussi que l'on puisse chercher à savoir ce que l'on sait déjà, ou plutôt, ce que l'on croit savoir. Une connaissance ne peut être qu'acquise, et il n'y a de recherche et d'acquisition du savoir qu'à la condition qu'on ait conscience d'être, en une matière quelconque, ignorant. C'est sur ce ressort psychologique que Socrate entend jouer en recherchant avec lui les connaissances qui font éventuellement défaut à Alcibiade, soit qu'il reconnaisse ne pas les posséder, soit qu'il le croit à tort. L'énumération des différentes compétences techniques nécessaires à la bonne administration de la cité (107a sq.) permet d'établir que le meilleur conseiller, en une matière donnée, est celui qui possède le savoir adéquat ; en ce sens et selon les circonstances, c'est le technicien spécialisé qui devrait

1. On ne devrait parler à ses concitoyens que de ce que l'on connaît mieux que d'autres orateurs (106c). Cette condition, qui est aussi bien une critique des pratiques politiques en vigueur dans des assemblées où la rhétorique et la démagogie tiennent lieu de compétence, est acceptée par Alcibiade.

2. L'absence de connaissances innées ne contredit en rien l'hypothèse fameuse de la réminiscence, telle qu'elle est notamment exposée dans le *Ménon* 85b-86b. La réminiscence suppose simplement que l'âme, immortelle, a acquis des connaissances avant *cette* vie qui est la nôtre (lors d'une précédente incarnation).

seul recevoir la parole à l'assemblée [1]. Alcibiade l'admet et concède ainsi une exigence qui prépare la ruine de ses ambitions : il est impossible d'être ignorant en politique, dans la mesure où la participation à l'assemblée suppose qu'on contribue à une délibération en y apportant une compétence particulière.

Afin de se soustraire à la liste inquiétante des connaissances qu'il ne possède pas, Alcibiade propose qu'on distingue des compétences techniques qu'il déclare secondaires les véritables questions politiques qui, elles, concernent les « affaires propres des Athéniens » (107c). Alcibiade introduit donc lui-même une distinction bientôt décisive entre ce qui revient en propre à un sujet (ici, les choix des citoyens assemblés) et ce qui, le concernant, n'est pas de son ressort (les moyens techniques de leur mise en œuvre). Plus précisément, Alcibiade distingue l'ensemble des techniques et des compétences secondes de cette activité proprement politique qu'est la guerre. Qu'Athènes puisse être tenue pour une cité guerrière est à la fois un constat de fait et une représentation idéologique courante [2], que Socrate ne remet pas en cause ; bien plutôt, il reconduit là encore Alcibiade au critère d'une compétence technique : si c'est de guerre qu'il s'agit, alors, quelle est la compétence requise en la matière [3] ?

1. Ce que concède Alcibiade, mais il faut souligner que cela n'allait aucunement de soi dans l'assemblée démocratique ; c'est l'un des motifs récurrents de la critique platonicienne du pouvoir démocratique : il ne procède d'aucune compétence. On notera toutefois aussi que l'argument platonicien ne consiste aucunement à dire que le technicien doit décider de ce qui convient ou exercer le pouvoir : il doit être entendu.

2. Un état de fait, puisque la cité est toujours en guerre, et une représentation idéologique qui est à la mesure de la confusion des fonctions citoyennes et guerrières : la cité athénienne se représente en armes, le citoyen est avant tout un guerrier. Sur cette question, voir J.-P. Vernant (éd.), *Problèmes de la guerre en Grèce ancienne*, Paris-La Haye, Mouton, 1968, puis les importantes études de N. Loraux (en dernier lieu, *La Cité divisée*, Paris, Payot, 1997) ; enfin et désormais, V.D. Hanson, *Le Modèle occidental de la guerre*, Paris, Les Belles Lettres, 1990, pour la traduction française.

3. Ici comme dans la majeure partie du dialogue, l'argument pla-

C'est l'occasion d'une définition plus précise des deux critères permettant d'apprécier la nécessité et l'opportunité d'une technique quelconque. Le premier critère, le « convenable [1] », est intrinsèque : il s'agit d'apprécier, dans une circonstance donnée, ce qui convient, c'est-à-dire ce qui est fait selon les règles efficaces et connues de la technique concernée. Par exemple, il est convenable, dans les circonstances qui sont celles du combat, de se battre contre les bons adversaires, en adaptant les moyens à la fin poursuivie. Le second critère, le « mieux [2] », est extrinsèque, il qualifie l'opportunité de l'action dans un contexte donné : par exemple, à quel moment, dans quelle circonstance convient-il de faire la guerre. Socrate suggère que ces deux critères peuvent être distingués de telle sorte que la décision de faire ou non la guerre (est-ce mieux ou non de la faire ?) puisse revenir à un gouvernant, une fois ce dernier informé par un technicien compétent des conditions techniques du conflit (comment convient-il de faire cette guerre ?) [3]. Une telle distinction pourrait passer pour une concession à Alcibiade, dans la mesure où celui-ci défend précisément l'argument selon lequel on n'a pas à être techniquement compétent pour gouverner, mais seulement à décider d'une opportunité. Mais la concession n'est qu'appa-

tonicien s'appuie sur une compréhension technique de l'activité humaine, quelle qu'elle soit (ce que je désignerai le plus souvent comme le « paradigme technique ») : toute activité doit pouvoir être considérée comme possédant un objet, sur lequel on intervient en vertu d'un certain savoir (tout comme le technicien, ou l'artisan, travaille un matériau selon des règles et en fonction d'un usage dont il a une connaissance).

1. « Convenablement » traduisant l'adverbe *orthôs*, qui, littéralement, signifie « selon la règle », « droitement ».

2. Qui traduit indistinctement les deux comparatifs d'*agathón* que sont *ámeinón* et *béltion*.

3. L'argument, que l'on retrouvera notamment et plus tard dans le *Politique* (297b-305e), consiste donc à subordonner le conseil du technicien à la décision du gouvernant. Encore une fois, une compétence technique particulière ne saurait tenir lieu d'aptitude à gouverner la cité.

rente, dans la mesure où le choix de cette opportunité exige lui aussi à son tour une forme de connaissance, celle du « mieux ». En matière de guerre, puisque c'est à la guerre que le gouvernement de la cité s'est trouvé résumé, on supposera que le « mieux » est le « juste ». Et faute de pouvoir définir aussi bien le « convenable » technique que le « mieux » politique, Alcibiade devra reconnaître une première fois son ignorance et son incompétence politique (108e-109a).

6. Qu'est-ce qui est juste ?

Dans sa recherche des hypothétiques connaissances d'Alcibiade, Socrate met en avant différents critères de possession effective de connaissance. La connaissance est d'abord et toujours connaissance de quelque chose, d'un certain objet. C'est cet objet qui définit le savoir (l'objet « langue grecque » définit le savoir qu'est la grammaire, comme l'objet « corps » définit le savoir médical). À chaque objet correspond une connaissance spécifique qui est la condition, la cause de la compétence. Quant au processus même de connaissance, il est ici défini par trois critères : une capacité à désigner la chose que l'on connaît, à la montrer et à la distinguer des autres choses qu'elle n'est pas ; une capacité, ensuite, à la nommer, à dire ce qu'elle est (du bois et non de la pierre) ; enfin, une capacité à convenir de ce que l'on connaît, à en être d'accord avec soi comme avec tous ceux qui savent ce qu'est l'objet concerné (111c). Ce faisant, Platon donne à la connaissance une forme de cohérence spontanément réflexive : savoir, c'est savoir que l'on sait ; et l'on peut en convenir avec soi-même comme avec les autres. Cela va de soi dans la mesure où le critère de la connaissance est un rapport à ce qu'est l'objet : *la connaissance est un rapport de désignation adéquate* [1].

1. Si je connais x, je désignerai toujours x de la même manière *et* je m'accorderai toujours à ce propos avec tous ceux qui connaissent x.

C'est donc là ce qui distingue une connaissance véritable d'un simple avis ou d'une simple croyance, c'est-à-dire d'un jugement qui, vrai ou faux, n'est pas fondé sur une connaissance de son objet. Au contraire de ces avis, qui relèvent de ce que Platon nomme « opinion » (*dóxa*), la connaissance véritable peut rendre raison d'elle-même, elle peut s'enseigner [1]. Si l'on applique, avec Socrate, ces différents critères aux opinions d'Alcibiade et des gouvernants athéniens, c'est pour constater qu'aucun d'eux ne possède la connaissance du juste et de l'injuste.

L'objet de cette discussion est bien la définition d'un critère de jugement susceptible de servir à l'évaluation de « ce qui est le mieux » dans une circonstance quelconque : comment acquérir la connaissance de ce critère d'évaluation, l'aptitude à bien juger ? La question paraît d'autant plus redoutable que l'appréciation de ce qui est juste ou non ne semble pas avoir été apprise par les Athéniens à un moment donné (comme les règles d'un jeu ou comme l'apprentissage de la musique), mais qu'elle paraît spontanée. On est là dans le deuxième cas de figure de la possession d'une connaissance : lorsqu'on qu'on croit savoir quelque chose, autrement dit, lorsqu'on a à son propos une opinion.

Comme mode de pensée, l'opinion est une expérience du différend et de l'errance, qui présente quatre caractéristiques : l'opinion est d'abord liée à l'expérience d'un désaccord, d'un différend dans l'ordre de la connaissance et de la discussion (aussi bien avec d'autres qu'avec soi-même) ; elle est ensuite un égarement ; elle est encore susceptible d'être accompagnée de la croyance fausse en un savoir (113b et 118b, les hommes croient savoir ce qui est juste et injuste) ; enfin, elle soustrait son objet à la recherche : croire savoir, c'est aussi et en même temps refuser d'ap-

1. En 118c ; c'est un lieu commun de la doctrine platonicienne : la possibilité de l'enseigner est le premier critère de possession d'un véritable savoir ; *a contrario*, celui qui ne peut enseigner ne fait que simuler le savoir.

prendre davantage, prendre ses opinions pour des évidences (113d). Ce sont précisément ces expériences du différend, dans la connaissance, dans le discours et dans les actes [1], que le dialogue prend pour objet : comment se fait-il que les hommes aient tant de difficulté à s'accorder entre eux relativement à certains objets, à la signification comme à l'importance de certains objets ? Il y a au moins deux façons de répondre à cette question. Soit que l'on estime que des questions sont irrémédiablement matière à différend et à conflit (à un débat d'opinions), auquel cas il est normal que la discussion sur le juste et l'injuste ne puisse donner lieu à un accord (elle reste en débat) ; soit, au contraire, que l'on tienne ce débat et ce différend pour le signe que, en la matière, il manque quelque chose pour qu'une connaissance véritable soit possible. Ce que n'arrive pas à produire l'opinion, c'est la preuve de sa véracité. Elle est un avis, un jugement qui ne peut produire son critère d'exactitude ; d'où son « errance ». Cette dernière n'est toutefois pas immédiatement l'indice de la fausseté de l'opinion, au contraire. En effet, si l'opinion peut induire en erreur, c'est qu'elle est une certaine forme, un certain mode de connaissance ; elle n'est donc pas pure et simple ignorance (elle possède un objet, le jugement porte sur quelque chose et il est susceptible d'être vrai), mais elle est changeante [2]. L'opinion s'avère d'autant plus

1. Il faut souligner que ces trois domaines sont liés, et que l'errance en matière de connaissance est en un sens la *cause* des conflits guerriers. Le même argument est développé dans le *Ménon*, qui réfléchit précisément sur les conditions d'une bonne *orientation* de l'existence, en montrant comment une opinion droite peut la favoriser (92e sq. ; voir H. Tarrant (1989), « *Meno* 98a. More Worries », qui traite du rapport entre les arguments du *Ménon* et ceux de l'*Alcibiade* sur ce point).

2. C'est à distinguer l'opinion de la connaissance véritable comme de l'ignorance pure et simple que s'emploient notamment l'*Hippias mineur* (365d-367d), puis le *Ménon* (85c sq.) et la *République* (VI, 509d-511e, et VII, 524d-534a). En bref, Platon désignera l'opinion comme un jugement qui, s'il peut être ou non confirmé, reste toujours séparé de sa preuve (de l'explication rationnelle qui

« ébranlable » ou errante que la persuasion peut l'affecter ou même la produire. Lorsqu'il accuse la différence qui existe entre le fait de s'y connaître sur un sujet et celui d'avoir à son propos un simple avis (112c-d), Socrate désigne l'opinion comme le simple effet d'une persuasion, de soi par soi ou de soi par un autre.

Seule une connaissance peut donc fonder la compétence recherchée. Si, comme le signale Socrate, les Athéniens ne cessent de différer sur le sujet de ce qui est juste ou injuste, c'est qu'ils ne disposent pas de la connaissance appropriée à la délibération comme à l'action politiques. En effet, ils ne l'ont ni apprise d'eux-mêmes ni apprise d'un maître (112c-d). Dans le droit fil des arguments qu'il avait une première fois exposés dans l'*Apologie de Socrate*, Platon affirme ici que ce n'est pas tant l'ignorance qui fait mal agir qu'une certaine opinion. On peut être ignorant et bien se conduire (en acceptant de s'en remettre à d'autres, 117d-e). L'ignorance n'est condamnable et n'a de mauvais effets que lorsqu'elle s'ignore elle-même ou, plutôt, se dissimule à elle-même. Appliquées au cas d'Alcibiade, ces propositions relatives aux conditions d'une action juste devraient suffire à disqualifier les ambitions du jeune homme dont on vient de montrer l'ignorance. Mais ce dernier, faute de pouvoir définir le critère du juste, entreprend d'en minimiser l'importance, en lui substituant un autre critère, celui de l'avantageux.

---

seule peut dire pourquoi ce jugement est vrai ou faux). C'est la raison pour laquelle l'opinion est toujours singulière, « isolée » ; on ne peut en effet passer d'une opinion à une autre, fussent-elles toutes deux vraies, nulle déduction n'est possible de l'une à l'autre. Au contraire, s'orienter dans la pensée et dans la vie suppose que les hypothèses auxquelles on opine soient fondées et liées entre elles. Faute de cela, c'est-à-dire faute d'un savoir, on reste dans l'errance, la versatilité et le différend. Et cela, même dans le cas où l'opinion est « vraie » : faute d'être fondée, une opinion s'expose toujours à être modifiée par une persuasion (voir encore le développement du *Théétète* 201e sq).

Lorsque Alcibiade affirme « que les choses justes ne sont pas identiques aux choses avantageuses » (113d), il tente d'échapper au constat de sa propre ignorance de ce que sont le juste et l'injuste, pour défendre l'hypothèse selon laquelle, en politique, seule importerait la maîtrise utilitaire de l'avantage : peu importe que les guerres soient justes, pourvu qu'on les gagne. Poursuivant la distinction qui existe entre une opinion et une connaissance, Socrate entreprend de réfuter Alcibiade en démontrant l'identité du juste et de l'avantageux [1]. Il convient alors et dans un même mouvement de définir le juste, mais aussi d'établir les conditions de vérification de la pertinence d'une définition quelconque, selon qu'elle est une simple affirmation, un discours qui appelle un assentiment, ou bien une démonstration, c'est-à-dire un discours qui doit produire une connaissance.

Il s'agit pour Socrate d'objecter ainsi à l'opinion courante selon laquelle la détermination de la justice ne saurait être rationnellement établie (de la même manière qu'un calcul ou qu'une description grammaticale, 112e-113e [2]), pour soutenir au contraire qu'une définition de la justice est possible, et qu'elle devrait, en tant que connaissance adéquate de ce qu'est la justice, mériter l'assentiment de tous les citoyens. Autrement dit, la divergence et les différends des Athéniens sur ce sujet ne doivent pas être tenus pour la preuve qu'une telle définition est impossible, mais simplement pour l'indice qu'ils sont dans l'ignorance à son propos.

1. La distinction de la persuasion et de la véritable démonstration, en 113e-114b, est bien sûr à rapprocher de la distinction, déjà signalée, entre la rhétorique et la recherche philosophique. La réfutation des opinions d'Alcibiade relatives à la politique comme à la justice est toujours l'occasion d'une réflexion méthodologique sur les conditions d'acquisition et de transmission de la connaissance, quelle qu'elle soit. Sur la persuasion (*pistis*), voir la discussion du *Gorgias* 449a-461b.

2. On trouve une discussion parente dans le *Gorgias* 472d-479a, et particulièrement 478b. Le vocabulaire de l'avantage n'est pas le même d'un dialogue à l'autre. Sur la question, voir la note 42 de la traduction.

C'est cette ignorance, en Alcibiade, que Socrate veut examiner. Et d'abord, on l'a vu, parce que cette ignorance n'est pas sans effet. De l'ignorance de la justice, il y a des conséquences : des discours politiques, des discussions, des conflits, des guerres et des morts. De même qu'il y a des erreurs de calcul ou d'écriture, de même doit-il y avoir des erreurs politiques sur le compte de ce qui est juste ou non. Alcibiade cherche à se soustraire à cette discussion, en soutenant que le juste ne fait pas l'objet d'une délibération, car il est pour les citoyens une évidence (113d). Cette connaissance supposée, et avec elle cette idée que des opinions, parce qu'elles sont apparemment partagées, sont fondées, doit être réfutée par Socrate. Alcibiade lui en offre l'occasion en soutenant que les guerres sont la meilleure preuve de la différence qui existe entre le juste et l'avantageux, l'action politique ne consistant qu'en la poursuite du second. La politique, dit Alcibiade, n'est jamais que le deuil de la justice au profit de l'avantage ; la justice est un critère d'évaluation promulgué mais non suivi, et les conflits et les morts sont le prix que doit payer une cité pour conserver ou acquérir un avantage, c'est-à-dire un pouvoir. L'argument d'Alcibiade, qui est une justification de la violence au nom de l'intérêt, est typique d'une certaine rhétorique athénienne impériale et belliciste [1]. Elle peut paraître cynique, dans la mesure où Alcibiade semble soutenir que c'est en connaissance de cause, sachant ce que sont le juste et l'avantageux, que les guerres sont menées au mépris conscient de la justice. Or c'est précisément ce à quoi s'oppose Socrate : l'argument cynique, donné pour une nécessité politique, est une imposture. Le cynisme de ce que nous nommerions aujourd'hui la *Realpolitik* ne sert qu'à dissimuler une ignorance et, surtout, il interdit de comprendre ce qui, précisément, est en jeu dans les

1. Dont l'un des exemples les plus fameux reste le discours que prononce Périclès au début de la guerre du Péloponnèse (Thucydide, *Histoire de la guerre du Péloponnèse*, II, 35-46).

guerres : elles sont la conséquence de différends, qui ont eux-mêmes pour cause l'ignorance de ce qui est juste. Platon propose ici une étiologie intellectuelle des conflits humains, en suggérant qu'une connaissance commune de ce qui est juste devrait suffire à empêcher les conflits. Ce faisant, il dit aussi quelque chose de la justice qui, dans ce contexte guerrier, est désignée comme le principe de cohésion de la communauté civique. Les remarques sur l'avantage permettent alors de préciser quelque peu la signification politique de cette notion.

L'intervention platonicienne s'inscrit donc dans un débat politique athénien où le philosophe pose la question des critères de l'action commune : d'après quoi, selon quelle règle doit-on agir ? Qu'est-ce qui doit présider à la conduite de la cité, à son propre égard comme à l'égard des autres cités ? Doit-on renoncer à tout savoir en la matière et laisser la détermination des choix à la discussion, au conflit d'opinions, ou bien peut-on fonder, en connaissance de cause, l'action politique ?

a. Les choses justes sont belles, bonnes et avantageuses

La réfutation de l'opinion d'Alcibiade qui occupe les pages 114e-116d est souvent citée par les adversaires de l'authenticité du dialogue comme l'exemple même du caractère linéaire et scolaire des démonstrations du texte. L'objet de cette démonstration est d'établir que les choses justes sont les choses belles, puis que les choses belles sont les choses bonnes, qui sont aussi et enfin les choses avantageuses. Ainsi le juste et l'avantageux seront-ils définis comme une seule et même chose. L'examen du détail de la démonstration est toutefois bien loin de montrer la rigueur qu'on lui reproche parfois. Construite autour de l'exemple privilégié du courage au combat, cette démonstration n'est en effet produite qu'à la faveur d'identités qui sont affirmées sans être démontrées, puis d'un glissement subreptice qui permet à Socrate d'obtenir d'Alcibiade une concession dont on constate rapidement que rien ne l'autorise. Plus précisément, Socrate obtient d'Alcibiade et sans aucune forme de preuve que le juste soit le beau, puis que le courage qui est une belle chose soit compté au nombre des choses bonnes (115c-116a [1]), et enfin que les choses bonnes soient avantageuses. À la suite de quoi, en prenant appui sur l'approbation d'Alcibiade qui est ici proprement *abusé*, Socrate obtiendra à la faveur d'une véritable pétition de principe ce qu'il devait démontrer : les belles choses sont bonnes, les choses justes sont avantageuses. La démonstration de l'identité du juste et de l'avantageux est ainsi purement factice, et elle déroge aux règles logiques les plus courantes, lorsque Socrate n'hésite pas, dans le cours de sa « démonstration », à substituer un terme à un autre [2].

Elle aura toutefois permis à Socrate d'établir que la belle action est celle qui met en œuvre le bien, qui fait advenir quelque chose de bon. De la sorte, ce n'est pas l'action qui est moralement valorisée, mais une capacité à faire advenir à travers elle une bonne chose, une excellence. Cette excellence, le courage par exemple, est immanente au sujet de l'action, elle qualifie le sujet comme courageux. On peut définir le *bien agir* [3] comme cette action qui produit une excellence, et cela, en un sens, indépendamment des résultats de cette action. Le critère d'évaluation, conçu par Platon sur le modèle de l'efficacité technique, est donc celui de la mise en œuvre de ce qui convient le mieux aux

1. Auparavant, le courage avait été défini comme beau, c'est-à-dire aussi comme juste, à la faveur d'une identification du juste au beau qui n'avait elle non plus pas été fondée (voir l'étonnement d'Alcibiade en 115a). Il faut rappeler que pour les Grecs la beauté est une qualité éthique : elle désigne le caractère, la conduite ou l'action de valeur, qui sont l'objet de louange (de sorte que beau est synonyme de bien).

2. En 106b-c, Socrate substitue la bonté à la beauté pour établir, aux dépens d'Alcibiade, que la belle action est celle qui réalise le bien.

3. L'*eû prâttein*, en 116b sq. ; voir la note 50 de la traduction.

circonstances : le sujet éthique de la bonne conduite peut être regardé comme un bon artisan, un artisan qui *fait bien* une chose, et qui la fait d'autant mieux qu'il sait comment la faire.

Il convient donc de s'intéresser aux conditions subjectives ou « psychologiques » de l'excellence. C'est sans doute la raison pour laquelle l'entretien renonce à poursuivre plus avant l'examen des connaissances qu'exige l'action politique pour se consacrer, *via* le surprenant récit qui est au cœur de l'*Alcibiade* (121a-124b), à la nécessité de se connaître soi-même [1].

7. Prendre soi-même soin de soi-même

Le « Connais-toi toi-même » fait dans le dialogue une apparition circonstanciée : Platon ne reprend pas le précepte de Delphes pour lui-même, mais pour le faire servir d'injonction préalable à une tâche éthique déterminante, le soin de soi-même. C'est parce qu'il convient de prendre soin de soi-même (*heautoû epimeleîsthai*) que la question est posée de la connaissance de soi. La discussion sur la connaissance de soi n'a donc pas immédiatement dans l'*Alcibiade* l'importance qui était et sera la sienne dans la longue tradition de la connaissance de soi [2]. Celle-ci, en dépit d'importantes différences d'inflexions, tend à concevoir le précepte delphique comme une injonction suffisante ; le terme de la réflexion éthique consiste à se connaître soi-même comme âme, à connaître les facultés de l'âme que nous sommes, afin d'atteindre la perfection

1. L'introduction du thème de la connaissance de soi est assez soudaine, et l'on ne comprend pas aisément pourquoi le constat de l'ignorance d'Alcibiade doit donner lieu à cette nouvelle recherche. Comme le souligne J. Annas, l'argument trouve sa cohérence *a posteriori*, lorsque le lien est enfin exposé qui rapporte la justice à la tempérance et la tempérance à la connaissance de soi, *art. cit.*, p. 118-119, puis p. 128-129.

2. Sur le sujet de laquelle on se rapportera aux études de P. Courcelle, *op. cit.*, puis surtout de J. Pépin, *op. cit.*, dont les analyses philosophiques sont très précises.

dont l'homme est capable. On peut, à la suite de Jacques Brunschwig, qualifier cette tradition d'« humaniste [1] » tout en signalant que, si l'*Alcibiade* en est bien l'un des textes de référence, les remarques platoniciennes ne partagent pas les principaux présupposés de cette tradition : aux yeux de Platon, le *gnôthi sautón*, loin d'en être la fin, n'est qu'une étape d'un processus éthique dont le terme reste le soin de soi-même.

a. Connais-toi toi-même

Comme si souvent dans l'*Alcibiade*, le raisonnement platonicien s'appuie de nouveau sur la leçon qu'on peut tirer du paradigme technique. Tout comme l'efficacité et le bon ouvrage sont, pour une technique quelconque, le résultat d'un certain savoir, de même la direction de notre propre existence doit-elle s'appuyer sur une connaissance de ce que nous sommes et de ce qui nous convient. Le *gnôthi sautón* n'est donc pas même la condition, mais seulement l'une des conditions de l'*epimeleia seautón*. En effet, la connaissance de soi doit être complétée par une connaissance de ce qui nous convient, de ce qui nous est propre, afin qu'un soin véritable de soi puisse avoir lieu. De la sorte, c'est dans une injonction éthique à se maîtriser soi-même, en se connaissant et en prenant soin de soi, que le précepte delphique est inscrit. Platon s'approprie ce précepte, qui était un adage commun, pour le faire servir à la définition d'une connaissance et d'une maîtrise de soi qu'il nomme « tempérance ».

1. J. Brunschwig (1996), « La déconstruction du " Connais-toi toi-même " dans l'*Alcibiade majeur* », qui montre très bien ce qui éloigne le texte platonicien de son immense fortune, et qui distingue donc l'usage platonicien du précepte delphique de la compréhension « humaniste » qu'on en trouve déjà chez Aristote et l'auteur des *Magna Moralia* (qui reprend, en II, 15, 1213a14-26, le paradigme de la vue de l'*Alcibiade* ; dans l'étude de J. Brunschwig, voir les p. 72-78).

L'usage ancien du précepte delphique, avant Platon, avait une signification morale et religieuse [1]. Le plus souvent, le précepte est prononcé comme une injonction à la mesure : se connaître soi-même, pour un homme, c'est ne pas se tromper sur sa nature et ne pas se prendre pour un dieu, c'est connaître ses limites et se garder de l'excès, de l'*húbris* [2]. C'est sous cette forme que le précepte est employé par Eschyle dans le *Prométhée enchaîné*, lorsque Océan invite Prométhée à se connaître lui-même afin de ne pas outrager Zeus : « Je vois, Prométhée, et je veux même te donner le seul conseil qui convienne ici, si avisé que tu sois déjà : connais-toi toi-même, et, t'adaptant aux faits, prends des façons nouvelles, puisqu'un maître nouveau commande chez les dieux [3]. » D'injonction divine à ne pas se tromper sur le compte et les limites de notre humaine nature, le « Connais-toi toi-même » semble s'être infléchi un siècle plus tard en une sentence morale, dans un contexte philosophique et plus strictement anthropologique. Cet infléchissement paraît être proprement socratique, et c'est alors en tant qu'adage philosophique que la connaissance de soi est présentée comme l'enquête préalable à toute espèce de connaissance. Dès l'année 423, dans les *Nuées* d'Aristophane, où l'on trouve une virulente satire des activités et des mœurs de l'école de Socrate (le « pensoir »), le philosophe est représenté comme celui qui,

1. Le succès du « Connais-toi toi-même », comme l'a montré P. Courcelle, « tient à l'emploi *littéraire* qui en fut fait dès une haute époque et aux interprétations philosophiques très diverses auxquelles il se prêtait » (*op. cit.*, p. 12).

2. Voir J. Defradas, *Les Thèmes de la propagande delphique*, Paris, Les Belles Lettres, 1972 [2], p. 269 sq.

3. *Prométhée enchaîné* (écrit c. 470), v. 307-310, trad. P. Mazon, Paris, Les Belles Lettres, 1931. À la différence de ce que montre cet usage tragique, Platon n'usera pas du précepte pour séparer les natures divine et humaine ; au contraire, comme le souligne M.-F. Hazebroucq dans son commentaire du *Charmide*, la leçon platonicienne du « Connais-toi toi-même » « conserve son sens sacré en ce qu'elle indique, dans la pacification réussie de l'âme, le rapport que celle-ci a avec le divin » (*La Folie humaine et ses remèdes. Platon,* Charmide *ou de la modération*, Paris, Vrin, 1997, p. 250).

à l'imitation de Socrate, déclare avant tout son ignorance [1]. Strepsiade explique à Phidippide qu'il faut aller chez Socrate pour apprendre... qu'on ne sait rien : « Que pourrait-on apprendre de bon de ces gens-là ? – Vrai ? Mais tout ce qu'il y a de savoir chez les hommes. Tu connaîtras combien tu es toi-même ignorant et épais [2]. » La reconnaissance par Socrate de sa propre ignorance, dont Platon donnera une justification plus circonstanciée [3], est désormais associée à une certaine forme de savoir sur les choses humaines [4]. Quel que soit l'objet qu'on entreprend de connaître, il est indispensable de se connaître d'abord soi-même ; les raisons de cette injonction sont aussi bien morales (en vue de quoi doit-on connaître, quelles sont les fins que l'on poursuit ?) qu'épistémologiques (étant donné ce que je suis comme sujet de connaissance, quelle connaissance m'est-il donné d'avoir, que puis-je connaître ?). Comme le rappellera la fin de l'*Alcibiade*, l'infléchissement socratique du « Connais-toi toi-même » n'entend pas rompre avec la leçon théologique de son usage ancien : se connaître, c'est encore ici reconnaître ce qui en nous est susceptible de nous apparenter d'une certaine manière au divin. Mais c'est aussi, conformément à notre statut de vivant, reconnaître la part d'animalité qui est la nôtre [5]. Se

1. L'essentiel des témoignages contemporains sur l'entourage socratique et sur l'Académie platonicienne, avec une attention toute particulière aux violentes critiques d'Aristophane, est rassemblé et examiné par M. Baltes, « Plato's School, the Academy », *Hermathena*, CLV, 1993, p. 5-26.

2. Les *Nuées*, v. 971-974, trad. H. Van Daele, Paris, Les Belles Lettres, 1926. Aristote témoigne, de façon bien moins malveillante, du même lien privilégié entre la recherche socratique et le précepte delphique (voir le premier fragment de son *De la philosophie*, cité d'après Plutarque, *Contre Colotès*, 1118c).

3. *Apologie de Socrate* 20e-23b.

4. L'*Apologie de Socrate* attribue à Socrate un savoir de l'humain, une *anthrôpinê sophia* (20d6).

5. Sur ce point, voir les explications de M.-L. Desclos (1997), « " Le renard dit au lion..." (*Alcibiade majeur*, 123a). Ou Socrate à la manière d'Ésope » et notamment p. 412 : « Il ne s'agit plus tant, en effet, d'amener l'homme à ne pas se prendre pour un dieu, que

connaître, c'est se reconnaître comme cette espèce d'animal bien particulier qui a affaire au divin et à la vérité. Avec Socrate et dans les dialogues platoniciens, la connaissance de soi se trouve donc consacrée comme la condition philosophique de l'acquisition d'une connaissance quelconque. Cet infléchissement est probablement antérieur à Socrate : dans les fragments conservés d'Héraclite, on trouve une reprise semblable du précepte delphique, libéré de son contexte théologique initial. « Je me suis cherché moi-même [1] », aurait écrit Héraclite, comme pour signifier à la fois que toute recherche, quel que fût son objet, devait commencer par cette connaissance de soi sous la forme d'une *enquête personnelle*. Il ne s'agissait donc plus seulement, pour Héraclite, d'un précepte moral, mais déjà d'une condition de l'exercice philosophique. Quoi qu'il en soit de l'influence héraclitéenne, c'est dans cette direction que s'oriente la connaissance de soi platonicienne. Avec un certain nombre de réserves, toutefois, qui tiennent au fait que le précepte delphique est ici soumis à un précepte philosophique bien plus déterminant, celui de l'*epiméleia sautoû*, le soin de soi-même. Le « Connais-toi toi-même » n'est qu'une

---

de l'inciter à ne pas agir comme une bête. » Par ailleurs et comme on le signalera à terme, la signification du terme « divin » n'est pas chez Platon conforme à son usage traditionnel et religieux.

1. Cité par Plutarque, *Contre Colotès*, 1118c (auquel on doit ajouter la citation qui se trouve chez Stobée, *Anthologie*, III, 5, 6). Ce fragment est le plus souvent interprété de deux manières apparemment opposées, selon que l'on soutient qu'Héraclite reprend à son compte le précepte delphique (en dernier lieu, M. Conche, *Héraclite, Fragments*, Paris, PUF, 1986, p. 227-231), ou bien qu'il affirme plutôt pouvoir se passer de quiconque pour connaître (comme le défend M. Marcovich, *Eraclito, Frammenti*, Firenze, La Nuova Italia, 1978², p. 35-39). Mais on peut sans doute accorder ces deux lectures pour soutenir, comme le fera Platon à sa manière, que la connaissance de soi présuppose et accompagne aussi bien la libération des savoirs communs ; c'est là la double condition de la recherche philosophique, sa difficulté ultime (comme Thalès semblait déjà l'avoir signalé, selon Diogène Laërce qui lui attribue la paternité du « fameux " Connais-toi toi-même " », I, 40).

condition du « Prends soin de toi-même », seul véritable précepte philosophique [1].

Les enjeux de la forme que doit prendre cette application, ce soin, sont aussi bien critiques. Que l'*epimeleia* doive être exercée par soi et sur soi est le signe manifeste qu'on ne peut pas attendre d'autrui, comme d'un pédagogue omnipotent, qu'il prenne soin de nous à notre place. Tout comme le *Protagoras* contestait aux sophistes la prétention à pouvoir prendre soin de jeunes gens en leur enseignant la vertu [2], l'*Alcibiade* entend démontrer que l'acquisition de la vertu ne peut être conçue à la manière de la transmission pédagogique d'un savoir, mais qu'elle ne peut procéder que d'un exercice de soi sur soi, d'un rapport à soi d'un type particulier. Ce que désigne la notion d'*epiméleia*, de soin ou d'application, c'est la mise en œuvre des moyens nécessaires à l'excellence [3]. Dans le *Lachès* comme dans le *Charmide*, l'*epiméleia* désigne avant tout le soin qu'il convient de prendre des jeunes gens, de leur éducation. Tout comme dans l'*Alcibiade*, la question y est alors posée de l'amélioration des jeunes gens, de leur devenir vertueux : « Comment il faut vous en [vos fils] occuper (*therapeuthéntes*) pour qu'ils deviennent meilleurs [...] ; nous vous inviterions à prendre soin de vos fils (*epiméleiàn tina poēsasthai*) » (*Lachès*, 179b1-5). Le contenu, ou programme pédagogique, de ce soin n'est pas décrit dans ces dialogues comme il le sera dans la *République*, mais sa forme et ses fins y sont toutefois établies. Le soin qu'il convient

1. M. Foucault y insiste à juste titre dans ses cours sur l'*Alcibiade* : « C'est beaucoup plus dans une sorte de subordination par rapport au précepte du souci de soi que se formule la règle " Connais-toi toi-même " » (cours du 6 janvier 1982).

2. *Protagoras* (322d-328d), où Platon oppose l'*epiméleia* socratique à l'*epiméleia* du sophiste Protagoras, cette dernière prenant l'aspect d'une sorte de pédagogie morale, à la faveur de laquelle un maître enseignerait la vertu à un élève. Sur la question, voir les remarques de P.-M. Morel, Introduction au *Protagoras*, Paris, Les Belles Lettres, coll. « Classiques en Poche », 1997, p. XIV-XVI.

3. Comme le dira plus tard le *Banquet*, l'*epiméleia* est *pròs aretên*, « en vue de l'excellence » (185c1).

de prendre des jeunes gens, comme l'atteste l'invitation du *Lachès*, est une forme de thérapie. La parenté du traitement médical et de l'*epiméleia* justifie que l'on rende cette dernière par le français « soin », et non pas simplement « souci [1] », afin de suggérer combien la notion implique un processus qui est de l'ordre d'une transformation. Ainsi la comparaison médicale suggère-t-elle que le soin doit être effectivement prodigué : l'*epiméleia* est un *soin dispensé* à un sujet qui s'en trouve transformé et amélioré [2].

Dans l'*Alcibiade*, le précepte est la réponse apportée à une question dont la signification est aussi bien éthique, pédagogique et politique : sachant que l'éducation des jeunes gens est indispensable, *qui* doit l'accomplir, *qui* doit prendre soin d'eux ? Répondre « Connais-toi toi-même » à cette question ne consiste pas seulement à subordonner au soin de soi la connaissance de soi, mais à attribuer un *sujet* à ce soin comme à cette connaissance [3]. Le précepte delphique permet l'introduction du *sautéon* dans la recherche. C'est à *toi-même* qu'il revient de prendre soin de *toi-même*, en commençant d'abord par te connaître *toi-même* [4]. Ce ne sont pas des maîtres de vertus ou des dirigeants

1. Comme le firent certains traducteurs et comme le fait Michel Foucault dans son *Histoire de la sexualité* et dans ses derniers cours.

2. Le grec dit « *epimeleîn poieîsthai* ». Le soin est ainsi et explicitement lié à une thérapie, et il suppose en tant que tel une transformation du patient. Dans le *Lachès*, Socrate est déjà celui qui prodigue aux jeunes gens ce type de soins. Avec cette précision, déterminante dans l'*Alcibiade*, qu'il convient certes de prendre soin des adolescents, mais aussi et d'abord de soi-même (*Lachès* 201b5-6).

3. Le premier aspect de l'injonction à se connaître soi-même est très clairement exposé par Michel Foucault dans ses cours sur l'*Alcibiade* (surtout ceux de janvier 1982). Le second ne l'est pas, mais c'est bien entendu dans une perspective foucaldienne que je le souligne. Pour le dire dans les termes de Foucault, c'est à la constitution de soi-même comme sujet moral qu'invite l'interprétation platonicienne du précepte delphique (voir *L'Usage des plaisirs*, *op. cit.*, Introduction, p. 9-19).

4. Je mime ainsi la présence du *sautoû*, redondante à partir de la page 119.

politiques qui pourront prendre soin des jeunes gens, ce ne sont ni des rhéteurs, ni des parents, ni des oracles, ni même des pédagogues compétents qui pourront leur enseigner qui ils sont. Si une maîtrise de soi est possible, si un engagement politique peut l'être à son tour, le jeune homme doit en être le sujet. De sorte que le précepte delphique est transformé par Platon en une injonction double : connais-toi toi-même *afin* de prendre soin de toi-même, c'est-à-dire afin d'être toi-même le sujet de ta propre maîtrise. Deviens un sujet [1].

b. La fable royale

Le précepte delphique exprime une nécessité éthique : il faut, pour devenir meilleur, s'occuper de ce dont on ne peut précisément laisser le soin à personne d'autre qu'à soi-même : la connaissance et le soin de soi. La fable royale, qui compare fictivement Alcibiade aux rois de Perse et de Lacédémone, ceux qu'il devra combattre si le pouvoir lui en est donné, a d'abord pour fonction, dans le droit fil de la discussion précédente, de montrer combien l'éducation est indispensable à l'amélioration de soi (120e [2]). Dans le contexte politique et guerrier qui est celui de cette discussion, il s'agit de savoir comment on doit être formé, *qui* on doit être pour triompher de ses ennemis. Parce qu'elle le met en scène devant ses véritables rivaux, la fable doit persuader Alcibiade que, sous l'aspect des qualités qu'il avait lui-même mises en avant, il leur est absolument inférieur [3].

1. Je ne distingue pas les termes de « soi » et de « sujet » ; les deux termes correspondent pour partie à l'usage que Platon fait du pronom réflexif (selon qu'il l'utilise effectivement comme pronom, ou bien qu'il le substantive) ; l'anglais « *self* » en donne un équivalent plus suggestif. Voir l'article cité de J. Annas, p. 128 sq., et surtout l'étude de C. Gill, *Personality in Greek Epic, Tragedy, and Philosophy. The Self in Dialogue*, Oxford, Clarendon Press, 1996.

2. L'éducation au sens large (Socrate parle alors de la première formation de l'individu, la *trophê*).

3. Ce que n'avait pas obtenu la précédente réfutation (la recon-

Parce que l'on sait, rétrospectivement, que la menace d'échec et de ridicule que Socrate lui adresse ainsi n'empêchera pas Alcibiade de partir en guerre, mais encore et surtout qu'il finira par trouver refuge auprès de chacun des deux royaumes ennemis, la fable royale est éminemment comique. Platon la forge en jouant des stéréotypes les plus répandus sur le compte des Lacédémoniens et des Perses, et en empruntant aux historiens, à Hérodote en tout premier lieu [1], le matériau d'une description dont l'objet est d'épuiser, littéralement, tous les privilèges sur lesquels Alcibiade veut fonder son entrée en politique et son pouvoir : sa lignée, sa beauté et sa richesse. Ainsi la supériorité des Lacédémoniens et des Perses est-elle soulignée selon le sang (121b-c) et selon l'éducation (121d-122b), et ainsi la supériorité des rivaux est-elle entière selon « la naissance, la formation et l'éducation » (122b). Reste alors le privilège des richesses qui se trouve à son tour établi par Socrate, à l'aide d'un même procédé de surenchère qui consiste à montrer que, là où les Lacédémoniens dépassent toujours et de beaucoup les Athéniens, les Perses à leur tour l'emportent encore sur les Lacédémoniens. Le détail de cette imposante

---

naissance par Alcibiade de son incompétence politique) est donc ici *représenté.* C'est le propre du récit (*mûthos*), dans l'économie philosophique des dialogues platoniciens, que de suppléer, dans l'ordre de la représentation persuasive, aux défauts ou aux insuffisances des démonstrations rationnelles. Voir les explications de L. Brisson, *Platon, les mots et les mythes*, Paris, La Découverte, 1992.

1. On comparera ce que dit Socrate des deux royaumes avec les descriptions qu'en donnent Xénophon (*Constitution des Lacédémoniens* et *Cyropédie*, I, 1) et Hérodote (dans l'*Enquête* ; voir les notes de la traduction). Le *Ménexène* et, bien plus tard, le *Critias* montrent une utilisation analogue du matériau historique et ethnographique de l'*Enquête* hérodotéenne, à des fins qui sont toujours celles d'une critique politique (voir J.-F. Pradeau, *Le Monde de la politique. Sur le récit atlante de Platon,* Timée *(17-27) et* Critias, Sankt Augustin, Academia Verlag, 1997, p. 155-229). Ici, dans la mesure où c'est elle qui est mise en cause à travers Alcibiade, c'est aussi à l'ensemble de l'oligarchie athénienne, et à la représentation qu'elle se fait de sa naturelle autorité, que s'en prend Platon.

hiérarchie des mérites, si elle discrédite effectivement les prétentions d'Alcibiade et d'Athènes, montre toutefois un argument plus subtil que ne laisse supposer son tour comique. La précédente discussion s'était achevée sur le constat selon lequel une bonne naissance accompagnée d'une bonne éducation devait donner lieu à l'excellence (120e). Dans la mesure où les Lacédémoniens et les Perses possèdent l'une et l'autre, ils devraient être excellents (et les Perses plus encore que les Lacédémoniens). C'est effectivement ce que souligne Socrate, lorsqu'il énumère le détail des vertus citoyennes et guerrières des Lacédémoniens (122c) et celui des quatre vertus perses, chacune incarnée par un pédagogue éminent (121e-122a). On s'étonne parfois de trouver dans ce récit l'énumération des quatre vertus (le savoir, la justice, la tempérance et le courage) que la postérité retiendra pour les quatre vertus « cardinales ». Mais elles sont mentionnées ici à dessein et avec quelques réserves qui méritent attention.

On remarquera d'abord, chez les Lacédémoniens, une absence de taille : tout ce qui ressortit à la pensée, au savoir, à la connaissance, est absent de la liste de leurs mérites. Tout ce sur quoi l'argument technique avait insisté (la nécessité de posséder un savoir pour bien agir) fait défaut à leur éducation. On trouve, en revanche, chez les pédagogues perses une liste complète des vertus, mais là encore avec une réserve. D'abord, quand Socrate prend soin de préciser que la valeur des maîtres est relative : « ce sont ceux *qui ont paru le plus* [vertueux] » (121e, je souligne) ; ensuite, quand, à la différence de ce qui est dit des qualités guerrières des Lacédémoniens, ce sont seulement ces quatre maîtres qui atteignent à l'excellence parmi les Perses. Autrement dit, une hiérarchie est bien établie entre les Perses, qui possèdent pour partie toutes les espèces de l'excellence, les Lacédémoniens, qui ne montrent guère qu'une forme pratique et citoyenne de tempérance, et les Athéniens enfin, implicitement dépourvus de la moindre qualité. Mais cette hiérarchie ne suffit pas pour autant à consacrer les Perses comme des modèles de vertu. D'une part, parce que seuls les pédagogues sont chez eux vertueux (et l'on ne sait toujours pas dans quelle mesure la vertu peut ou non s'enseigner [1]) ; d'autre part, parce que c'est une théologie qui tient lieu chez eux de savoir. C'est la raison pour laquelle la conclusion de la fable est si déroutante. En effet, compte tenu de l'hypothèse qu'elle devait vérifier (une bonne naissance et une bonne éducation font la vertu), la fable devrait s'achever sur la conclusion que les Lacédémoniens et surtout les Perses sont invincibles : un Athénien ne devrait pas pouvoir l'emporter sur eux. Or la possibilité existe toujours (124b). C'est donc que, sous un certain aspect ou du fait d'une certaine qualité, l'Athénien peut, de droit, atteindre et surpasser la plus haute excellence. Si l'on songe aux réserves et aux nuances indiquées, c'est pour constater que les Athéniens ne l'emporteront sur leurs rivaux qu'à la condition d'être effectivement vertueux : eux-mêmes (et non pas seulement leurs maîtres) et entièrement (en possédant une connaissance véritable). Le moyen en est indiqué pour finir par Socrate : il faut avoir recours au « soin » et à la « technique ». La fable aura donc joué le rôle d'une démonstration par défaut de la nécessité du soin de soi-même, et elle aura permis de désigner ce soin comme une technique, une activité fondée sur un savoir. Mais, comme le fait immédiatement remarquer Alcibiade, la fable ne répond cependant pas à la question qui la motivait (à quoi faut-il s'appliquer ?). Elle montre que l'acquisition de l'excellence suppose une

1. La réponse platonicienne est négative, comme le suggère la fin de la fable : on ne peut enseigner la vertu, parce que l'excellence consiste toujours à être soi-même excellent en connaissance de cause. Être excellent, c'est devenir soi-même le sujet d'activités excellentes. De la sorte, l'*Alcibiade* ne peut que répéter le constat qu'on trouve déjà dans l'*Apologie de Socrate* ou dans le *Ménon*, selon lequel le père, le tuteur ou le maître ne pourront jamais par eux-mêmes rendre quelqu'un vertueux : il y faut encore un rapport à soi, une connaissance et une maîtrise de soi.

pédagogie, mais qu'il convient encore et surtout que chacun *prenne soin* (124b et d) de soi-même [1]. Reste alors à examiner en quoi consiste ce soi-même et la manière dont on peut en prendre soin ; c'est ce à quoi appelle le précepte delphique, « Connais-toi toi-même ».

Le *Charmide* avait déjà mentionné le précepte delphique, mais dans une tout autre perspective. Il s'agissait déjà d'enquêter sur la tempérance, désignée comme une connaissance dont on devait déterminer la nature et l'objet. C'est Critias qui introduisait alors le précepte, pour définir la tempérance comme connaissance de soi : se connaître soi-même est une invitation divine à la tempérance [2]. Mais l'entretien du *Charmide* ne faisait guère que rencontrer le précepte delphique, dans une perspective qui restait épistémologique, puisque son objet était la définition de la science (*epistēmē*) comme aptitude à connaître un objet (166c-e). Que la connaissance de soi puisse prendre la forme d'un savoir « scientifique », et devenir une science de soi [3], est une possibilité à laquelle le *Charmide* faisait simplement allusion, avant d'insister sur l'urgence et sur les conditions d'une définition de cette science du bien et du mal à laquelle on réserve le nom de tempérance (174b sq.). Le *Charmide* introduisait ainsi, en termes épistémologiques, une question éthique que le *Gorgias* et l'*Alcibiade* s'efforceront de

1. Platon renonce à la possibilité de transmettre l'excellence comme on le ferait d'un contenu pédagogique. La fréquentation de gens vertueux ne rend pas forcément vertueux. L'*aretē* est une excellence qui doit être mise en œuvre. Comme l'explique Y. Brès, la philosophie de Platon a pour projet « de détruire cet espoir de transmission directe et positive [de la vertu] », *La Psychologie de Platon*, Paris, PUF, 1968, p. 87. Ainsi, le rôle du véritable maître de vertu, qui est précisément celui de Socrate dans les dialogues platoniciens, ne consistera pas à transmettre un savoir, mais à « convaincre [chacun] de prendre soin de la vertu » (*Apologie de Socrate* 31b), à convaincre chacun de devenir meilleur (*Alcibiade* 124e).

2. *Charmide* 164c-165a.

3. Une *epistēmē heautoû*, *ibid.*, 165c.

résoudre en donnant de la tempérance une définition positive et rigoureuse. Cette première réflexion sur la science et la connaissance, soumise à l'urgence d'une définition de ce qui est proprement avantageux à l'homme, ne donnait donc pas lieu, dans le *Charmide*, à une enquête sur le *sujet* de la connaissance et de la bonne action [1]. Reprenant en 131b la définition de la tempérance comme connaissance de soi, l'*Alcibiade* rappelle que la tempérance, qui est l'excellence de la maîtrise de soi, est aussi un savoir réflexif, qui porte sur soi-même comme sujet d'une conduite, elle est ce savoir de soi qui doit rendre possible une action sur soi [2]. Si le *Charmide* n'usait pas ainsi du précepte delphique, c'est sans doute parce que son souci n'est pas de rechercher ce que nous sommes *nous-mêmes* [3], pas plus que de définir la forme que doit prendre ce rapport à soi qui définit pour partie la tempérance. La tâche en revient à l'*Alcibiade* et au *Gorgias*.

Dans l'*Alcibiade*, la fable royale et l'introduction du motif de la connaissance de soi permettent que soient exposées et associées les trois conditions nécessaires à l'amélioration de soi : le savoir, la connaissance de soi et le soin de soi-même ; seule la connaissance permet de bien agir, et il convient de se connaître soi-même

1. Les quelques remarques préalables que Socrate consacre au début du *Charmide* à la nécessité de prendre soin à la fois de l'âme et du corps (156d-157c) rappellent que l'homme est âme et corps, que l'âme est aussi le sujet des dérèglements du corps, et qu'il n'est donc pas envisageable de prendre soin du second en négligeant la première. Mais une fois établi que la tempérance est le fait de l'âme, l'entretien s'oriente immédiatement vers la recherche de ce que cette tempérance suppose comme forme de pensée, de connaissance.

2. La *sophrosúnē* est ainsi définie à la fois comme soin (*epiméleia*) et connaissance (*gnôsis*) de soi-même. Ce double aspect est bien rendu par J. Annas, art. cit., p. 118-121. H. North (1966) a consacré à la notion une importante monographie, *Sophrosyne. Self-Knowledge and Self-Restraint in Greek Literature* (dont le matériau recoupe celui de l'étude sur la connaissance de soi d'E.G. Wilkins, *« Know Thyself » in Greek and Latin Literature*).

3. Le *Charmide* désigne toutefois le soi-même comme étant à la fois le sujet *et* l'objet de la connaissance de soi (169e6-7), dans les termes mêmes de l'*Alcibiade*.

pour prendre soin de soi-même afin de s'améliorer. Il est ainsi possible de répondre à la question posée par Alcibiade : « à quoi faut-il s'appliquer avec soin, Socrate ? » (124b). Il faut s'appliquer à se soigner soi-même pour devenir le meilleur possible. La fable aura donc été l'occasion de donner une représentation, la plus persuasive possible, de la nécessité d'une éducation. Mais sous quel aspect ? En effet, qu'il faille prendre soin de soi-même est acquis *avant* la fable, tout comme il est acquis que l'éducation est le seul moyen d'améliorer quiconque. Ce qui doit, en revanche, être précisé, c'est le type d'éducation ou d'activité qui convient à l'amélioration de soi [1], l'objet et la fin qui doivent être les siens. Si les exemples lacédémoniens et perses ne sont pas de *bons exemples*, c'est qu'il convient de prendre davantage encore soin de soi-même que ne le font ces illustres rivaux [2]. Il s'agit de devenir excellent.

La recherche de ce qui fait l'excellence, et qui doit, pour cette raison, être la fin du soin de soi-même, emprunte le chemin d'une définition de la bonté (124d sq.). Socrate reprend ainsi la désignation éthique commune, selon laquelle les hommes les meilleurs sont les hommes bons, les *agathoí* [3], mais en se demandant toutefois ce qui la fonde. Non pas seulement qui est bon, mais pourquoi ; quelle est la cause de la bonté chez les hommes bons ? À cette question socratique, qui est une question générique (quel est ce genre

1. C'est aussi bien la question que pose Socrate dans le contexte cette fois de l'amélioration de ses concitoyens, *Gorgias* 521a.

2. La remarque de 124d peut être comprise ainsi : « nous » (Alcibiade et Socrate) devons prendre encore plus soin de nous-mêmes que les autres hommes ne le font ou l'ont fait. Car ce à quoi nous devons aspirer, ce n'est pas à telle ou telle qualité (citoyenne ou militaire), ni à telle ou telle possession (de titre ou de fortune), mais à l'excellence, à la vertu elle-même (124d-e). Devenir ainsi « les meilleurs possible » (124e1), c'est réaliser une amélioration de soi plus achevée encore que ne l'est celle des Lacédémoniens ou des Perses.

3. Ou encore, selon la formule consacrée, les hommes beaux et bons, les *kaloì kagathoí*, 124e.

commun de la bonté auquel participent les différents hommes bons), Alcibiade donne une réponse strictement politique : les hommes bons sont ceux qui exercent le pouvoir dans la cité (125b). Dans la discussion des pages 124e-127d, Socrate exploite toute l'ambiguïté du terme « bon », qui désigne à la fois une qualité éthique (celle de l'homme « bon ») et une aptitude pratique ou technique (être bon à quelque chose), afin d'en obtenir une définition précise [1]. C'est une compréhension technique de l'activité qui commande de nouveau la discussion, de telle sorte qu'on puisse expliquer que l'homme est bon dans un certain domaine d'activité et en vertu de la possession d'un certain savoir [2]. La bonté n'est donc pas considérée abstraitement ou *ex nihilo*, mais elle l'est comme cette excellence qui correspond à la meilleure amélioration de soi possible.

La compétence qui rend possible la bonté est un certain savoir ; afin de préciser l'application éthique de ce principe qu'avaient déjà établi les pages 116e-119a, Socrate énumère plusieurs exemples qui montrent tous qu'une activité quelle qu'elle soit requiert la compétence spécifique d'un technicien donné [3]. Cette compétence savante est désignée ici comme une aptitude à réfléchir ; la réflexion (*phrónēsis*) peut alors être rétrospectivement tenue pour lc contraire de l'ignorance ou de la croyance « errante » dont Alcibiade s'était révélé être la victime, et surtout, désormais, être désignée comme le contraire du mal moral. Un lien de synonymie est ainsi établi : on est bon si l'on est réflé-

1. Pour un même usage, voir *République* I, 349e-350b.

2. Comme l'indique Alcibiade (124e), cette compétence qui fait la bonté a pour objet les affaires qui sont propres aux hommes bons, les choses qui les occupent (au sens large de *tà prágmata*, les choses dont ils ont le souci et les choses qui occupent leurs action). Ainsi doit-on savoir qui sont (et en vertu de quoi) les *hommes bons dans la pratique de leurs affaires*.

3. S'il s'agit d'affaires nautiques, on s'adresse alors à des marins, etc., 124e sq.

chi, et l'on est mauvais si l'on ne l'est pas [1]. Mais le paradigme technique rencontre ici sa limite. En effet, si l'on considère la bonté comme une forme de compétence réflexive en une matière donnée (sur le modèle des compétences techniques particulières), le même homme risque d'être « à la fois bon et mauvais » (125b), selon qu'il est compétent ou non dans un domaine ou un autre. Cette difficulté, dont on peut dire qu'elle est la question même de l'éthique platonicienne, s'avère décisive : comment définir la bonté ? S'agit-il d'une excellence générale, sans objet particulier (auquel cas elle ne peut être confondue avec une technique ou une compétence particulière) ? Peut-on définir la « vertu » comme une aptitude à être réfléchi dans toutes les activités possibles ? Ou bien doit-on au contraire lui attribuer un objet spécifique ? Si l'on adopte une compréhension strictement technique de la vertu, il faut admettre l'une ou l'autre de ces deux hypothèses : soit la bonté a un objet propre, soit elle est une aptitude générale à exceller en toutes choses. Mais cette alternative est précisément celle à laquelle Platon entend dérober la réflexion éthique. En effet, et l'on pourrait reformuler ainsi les deux hypothèses, si la bonté est une excellence restreinte à une fonction ou une activité particulière, alors on ne peut concevoir d'individu qui serait entièrement vertueux (on ne serait toujours et seulement vertueux que partiellement). Il faut donc concevoir une forme de bonté qui ne soit pas strictement fonction d'une activité ou d'une situation [2]. Mais cette seconde hypothèse, notamment

1. Ce qui peut aussi bien se dire : est mauvais celui qui n'est pas réfléchi, comme c'est le cas en 117d-118a.

2. Platon conteste que l'excellence puisse être simplement déduite du rang, de la naissance ou de la fortune ; il ne souscrit aucunement à la morale aristocratique traditionnelle (celle-là même dont Alcibiade se prévaut). Cette critique occupera encore la *République* : si on définit la vertu comme l'excellence dans la fonction propre, alors se pose immédiatement la question de savoir comment on peut être excellent autrement que dans une fonction particulière ; Platon paraît hésiter entre deux solutions distinctes : une solution

défendue par les sophistes sous la forme d'une aptitude générale à bien se conduire, fondée sur la transmission d'un certain nombre de règles ou de procédés, ne paraît guère plus satisfaisante [1]. La difficulté ici rencontrée n'est toutefois pas résolue dans l'*Alcibiade*, dont la discussion politique ne trouve qu'une issue aporétique, d'où il ressort simplement qu'il faut accorder dans la cité des aptitudes et des compétences distinctes, sans qu'on sache comment y parvenir [2]. Le dialogue renonce à cette tâche, pour se consacrer à

---

anthropologique (l'homme peut devenir entièrement excellent à certaines conditions) et une solution politique (il n'y a réellement d'excellence que dans et par la communauté des excellences, l'ensemble d'excellences distinctes rendant possible les excellences particulières) ; mais la *République* favorise la seconde (voir notamment IV, 419a-428a).

1. La prétention sophistique ici visée, pouvoir « enseigner la vertu », est celle que Platon condamne dans le *Protagoras* (318d-320c) et dans le *Gorgias* (519b-e). L'originalité de la position sophistique est radicale dans le débat athénien, dans la mesure précisément où elle s'oppose à la naturalité des normes éthiques et à la bonté de naissance. Mais elle ne peut satisfaire Platon pour trois raisons. La première tient au fait que les sophistes se font payer leur enseignement ; ce faisant, ils n'entreprennent pas la réforme morale de l'ensemble des citoyens. La seconde est décisive : les sophistes prétendent enseigner sans savoir. La troisième, qui en procède, est en partie en jeu ici : la vertu sophistique est une vertu de circonstance, une compétence particulière. Car ce n'est pas la vertu en général, souligne Platon, que le sophiste prétend enseigner, c'est la vertu politique (*Protagoras* 322d-324c), la justice. De sorte, comme le montre le *Gorgias* aux dépens de Gorgias, que la rhétorique démocratique athénienne et la sophistique peuvent être condamnées ensemble au motif qu'elles tentent de justifier l'hypothèse (et le régime politique démocratique dont elles sont l'expression et le soutien) selon laquelle l'ignorance et l'incompétence peuvent tenir lieu de droit à gouverner (*Protagoras*, 323a-c).

2. La discussion consacrée (126a sq.) à l'accord et à l'amitié dans la cité ne donnera lieu à aucune conclusion ferme. Elle ne fait guère qu'établir, sans aucune sorte de justification, que l'exclusivité de la fonction est synonyme de justice : lorsque « chacun fait ce qui lui est propre » (127c), l'action est juste. C'est à la *République* qu'il reviendra de résoudre cette difficulté, dans des termes semblables (voir II, 370b-c et IV, 443c-e et, pour une introduction à la question, J.-F. Pradeau, *Platon et la cité*, Paris, PUF, 1997, p. 25-48).

deux autres questions. L'examen d'abord de ce qu'Alcibiade entend par aptitude politique (le « bon conseil »), puis l'examen de ce que recouvre le soin de soi-même.

C'est donc faute d'une définition assurée de la compétence savante politique que Socrate entreprend l'examen de la définition que propose Alcibiade de la technique politique : une aptitude à bien conseiller les citoyens [1]. Socrate va admettre cette définition, en modifiant toutefois son usage. Car le bon conseil est employé par Alcibiade dans un contexte bien particulier, qui est celui du conseil donné par un citoyen devant l'assemblée. C'est dans un tel contexte que la rhétorique politique et la sophistique peuvent revendiquer une compétence, celle d'enseigner les moyens de persuader l'assemblée [2]. Socrate ne réfute pas la nécessité du bon conseil, mais il entend la fonder sur un savoir adapté à une fin. Si le bon conseil a effectivement pour fin de permettre « une meilleure administration de la cité et sa sauvegarde », alors il convient que le conseil soit déduit d'une connaissance de la cité et de ce qui peut l'améliorer. Cette connaissance fait défaut aux sophistes, aux rhéteurs comme aux dirigeants, qui n'ont pas la science (politique) qui peut seule fonder le bon conseil [3]. La discussion ne sera donc pas conduite à son terme, du fait (127d) du désarroi d'Alcibiade [4]. Et la discussion portera alors sur une seconde question, celle du soin de soi-même.

1. Le « bon conseil » (125e sq.), l'*euboulia*, qui signifie littéralement la « bonne décision ». Le terme désigne, dans une situation donnée, la décision qui convient le mieux ; en ce sens, il peut être apparenté à la prudence, l'aptitude à bien décider dans une circonstance donnée.

2. Ainsi le sophiste Protagoras définit-il lui-même l'objet de son enseignement comme étant le « bon conseil » (*Protagoras* 318d-319a ; et voir les remarques parentes du *Gorgias* 448e-454c, puis 459b-c).

3. La *République* expliquera à son tour qu'il n'y a de bon conseil que fondé sur un savoir, IV, 428b.

4. Qui souligne lui-même combien il est honteux de se trouver ainsi pris en défaut. La honte est un thème majeur de l'éthique

Cet examen est doublement justifié. D'abord, par la discussion qui précède. Celle-ci, même si elle n'a pas permis une définition de la justice, de l'amitié et de la science politique, a au moins établi que bien conseiller à propos de quelque chose, c'est définir les moyens de l'amélioration de cette chose, désigner la qualité dont la présence dans une chose la rend meilleure, qu'il s'agisse d'un individu (la bonté), d'un corps (la santé) ou d'une cité (l'amitié et l'accord). C'est dire que le bon conseil et l'amélioration d'un objet quelconque supposent une connaissance de ce qu'il est et de ce qui lui convient. On retrouve encore et toujours la même leçon d'ensemble du dialogue : il faut, pour améliorer une chose, en prendre un certain soin, lui apporter ce qui lui convient (et donc la connaître et connaître ce qui lui convient). Par ailleurs et outre cet examen sans cesse poursuivi des conditions de l'amélioration d'un objet quelconque, le dialogue rencontre ici un objet privilégié, en la personne même d'Alcibiade. En effet, c'est une réfutation qui vient ici de s'achever, lorsque Alcibiade doit concéder sa honte d'être si ignorant (il concède donc en même temps son incapacité à satisfaire ses prétentions initiales). Bien évidemment, on va donc pouvoir appliquer à Alcibiade l'ensemble des acquis précédents. Deux séries argumentatives distinctes se recoupent, la réflexion sur le soin et l'amélioration rejoignant l'examen des compétences prétendues d'Alcibiade : celui-ci étant en piteux état (et le reconnaissant), c'est de lui qu'il va falloir désormais prendre soin (127e-128a). Et cela suppose, conformément à l'argument qui avait donné lieu à l'aporie politique des pages 125-127, qu'on en revienne à la question de ce qui est propre à soi :

---

ancienne ; elle est l'état du sujet qui éprouve douloureusement la contradiction de ses actes ou propos aux règles ou valeurs auxquelles il cherche à se conformer. Sur la question, voir K.J. Dover, *Greek Popular Morality in the Time of Plato and Aristotle*, Oxford, Clarendon Press, 1974, et B. Williams, *La Honte et la nécessité*, Paris, PUF, 1997 pour la traduction française.

prendre soin de soi-même, est-ce prendre soin des choses qui nous sont propres ? Ou encore, sommes-nous nous-mêmes l'ensemble des choses qui nous sont propres ?

Afin de répondre à cette question, Socrate introduit une série de distinctions dont l'objet est d'éviter l'aporie de la précédente discussion, liée pour l'essentiel au flou de la formule selon laquelle il faut prendre soin des choses qui nous sont propres. C'est cette catégorie d'objets qu'il convient de distinguer. Ainsi ne devra-t-on pas confondre : 1) ce que nous sommes nous-mêmes, 2) les choses qui nous sont propres, qui sont à nous et 3) les choses qui sont propres aux choses qui nous sont propres (la tripartition est produite en deux temps, en 127e-128d, puis en 133d-e).

8. Une anthropologie triple

La distinction de ces trois genres (moi-même, ce qui m'est propre, ce qui est propre à ce qui m'est propre) doit permettre de répondre enfin à la question des conditions de l'amélioration de soi. Mais elle joue encore deux autres rôles : elle est l'occasion d'une certaine définition de la nature humaine, et elle permet, de surcroît, que l'on distingue et hiérarchise les différentes techniques selon leur objet.

En effet, s'agissant du second de ces acquis, à chaque objet susceptible d'être classé dans l'un des trois genres énumérés correspond une technique distincte. Ainsi, pour reprendre le premier exemple de Socrate, ce sont trois techniques différentes qui s'occupent respectivement de nous-mêmes, de nos pieds (que la médecine soigne) et de leurs chaussures (que la cordonnerie fabrique). À chaque objet, selon son genre, une technique et une seule apporte ainsi le soin indispensable et adéquat. Aussi comprend-on d'emblée qu'il ne peut exister qu'une technique spécifique appropriée au soin de soi-même et qu'elle ne saurait être confondue avec l'une ou l'autre des activités techniques connues. Plus encore, puisque le soin de soi-même relève désormais d'une technique, il s'avère maintenant indispensable de désigner le savoir qui la définit et l'objet qui est le sien : le soi. La réflexion sur la notion de sujet (ou de « soi ») se poursuit donc, à la faveur désormais de remarques anthropologiques : sachant ce qu'est l'être humain (en *général*), comment savoir *qui* est cet homme (c'est-à-dire qui est cet homme que nous sommes nous-mêmes, puisque c'est de nous et de nos affaires qu'il faut prendre soin) ?

La tripartition qui commande les exemples successifs des pages 127e-130c distingue l'âme, le corps et ce qui se rapporte au corps. Ce sont là trois sortes de réalités distinctes, qui sont toutefois toutes attribuées à l'homme, par éloignement progressif : en effet, le corps dépend de l'âme et les biens extérieurs dépendent du corps. Ces trois types de réalités sont bien des attributs de l'homme, puisque chacun d'entre eux se rapporte à l'homme. Chaque homme possède une âme, un corps et des biens. Ce sont donc les trois réponses possibles à la question de savoir ce que sont « nos affaires ». Cette catégorie d'objets est trop vague, son champ d'extension paraît trop vaste : dans « nos affaires », on peut faire rentrer toutes les possessions de l'homme, âme, corps, biens relatifs au corps. Il convient donc de distinguer nos affaires, ce qui est à nous, de ce que nous sommes nous-mêmes. Un champ anthropologique est ainsi délimité, celui des affaires ou choses humaines, qui, sous cette forme tripartite, aura une postérité immense : la tripartition platonicienne qui apparaît dans l'*Alcibiade* et dans le *Gorgias* [1], avant d'être exposée dans la *République*, va se retrouver au principe de l'anthropologie et de l'éthique

1. Dans le *Gorgias*, voir la discussion de 476a-479e, et plus particulièrement la distinction de trois techniques (la politique [ou la justice], la médecine et la chrématistique) correspondant au soin des trois affaires humaines que sont l'âme, le corps et les biens (478a-b).

de la plupart des discussions anciennes sur la vie humaine et sa fin [1].

Les remarques générales sur la nature humaine ne sont toutefois que les hypothèses à partir desquelles doit procéder la réflexion éthique. L'*Alcibiade*, au contraire de ce que suggère le sous-titre que lui ont donné ses éditeurs quelques siècles après sa rédaction, n'est pas une enquête *sur l'homme* qui serait conduite pour elle-même [2], mais simplement l'occasion d'une définition de la nature humaine suffisante afin qu'on puisse distinguer les principales orientations éthiques de l'existence humaine. Autrement dit, quelle est la nature de la vie humaine qui peut permettre de distinguer des « genres de vie » ? La réponse platonicienne est donc triple, et la postérité s'y tiendra [3]. Il faut cependant prendre garde au fait que cette tripartition,

1. Le *télos* de la vie humaine (son but, son achèvement). L'importance de la postérité de la tripartition platonicienne serait aussi bien attestée par la lecture des ouvrages éthiques d'Aristote que par celle, entre autres, des traités éthiques stoïciens. On retrouve toujours, des uns aux autres, le même schéma anthropologique et éthique qui distingue des genres de vie selon les choses humaines que privilégie tel ou tel type d'existence ; la vie du sage étant celle qui poursuit seulement les biens de l'âme, la vie du politique privilégiant les biens que sont les honneurs et les richesses, la vie de jouissance étant, elle, tout entière consacrée aux plaisirs corporels. Ce qu'on observe assez unanimement chez les Anciens, ce sont des distinctions selon l'orientation d'un même matériau anthropologique. Voir par exemple, dans l'*Éthique à Nicomaque* aristotélicienne, la réflexion sur le bonheur et la vie la meilleure (I, 3-9, puis l'ensemble des livres VII et X).

2. Une telle enquête « anthropologique » fait du reste défaut à l'ensemble de la philosophie hellénique classique, comme l'a montré R. Brague, *Aristote et la question du monde*, Paris, PUF, 1988, p. 223 sq. ; dans le même ouvrage, voir les p. 111-222 qui traitent du rapport à soi dans l'éthique aristotélicienne.

3. La tripartition ne connaît guère de changement dans les dialogues platoniciens. Elle fait l'objet d'un développement semblable dans la *République* IX, 580c-581e, mais aussi et par exemple, à terme, dans les *Lois*, où Platon reprend la distinction des trois sortes de biens : de l'âme, du corps, de la fortune (IV, 717b-c, puis V, 728a-d et 743d-e). On retrouve donc toujours, et toujours selon la même hiérarchie, trois sortes de vies qui correspondent chacune à la poursuite comme à la jouissance de trois sortes de biens.

pour hiérarchisée qu'elle soit, n'est pas une disqualification des biens corporels ou extérieurs, loin de là. Mais elle est la hiérarchie de leur primauté et du soin qu'on doit y porter. Ce sont les trois objets, pour tout homme, de souci (d'attention), les trois choses dont il convient de prendre soin. Ce qui signifie que chacun d'eux entre bien dans la définition de ce qui doit intéresser la vie de tout homme, mais qu'ils ne sauraient y entrer de la même manière (pour cette raison que le soin du corps et de la fortune sont voués au pire, si le soin de l'âme n'est pas premier). Ce qui signifie aussi, bien sûr, que la vie humaine peut être définie comme un rapport nécessaire d'attention (de souci, *spoudê*, et de soin, *epiméleia*) aux trois sortes d'objets ou d'activités que sont les biens de l'âme, du corps et de la fortune.

La nature humaine est ainsi définie, *médiatement*, par la manière dont l'homme se rapporte à ce qu'il possède ou à ce qu'il fait, à ce dont il a le souci et le soin. Platon n'entreprend donc pas de dire *ce qu'est* l'homme, mais il en traite simplement sous l'aspect éthique, qui est celui de l'orientation des conduites et des modalités du rapport à soi [1]. Dans une telle perspective, il importe avant tout de rechercher ce à quoi l'existence humaine est susceptible de se consacrer, de savoir de quoi elle est faite. C'est la raison pour laquelle les objets ou les biens extérieurs peuvent entrer de plein droit dans une telle recherche [2].

1. La véritable question éthique, de ce point de vue, est celle que pose Socrate dans le *Gorgias* : « quoi de plus beau que de savoir ce que doit être un homme, à quoi il doit se consacrer (*epideúein*) et jusqu'à quel point, quand il est vieux ou jeune », 488a.

2. C'est du reste une caractéristique de l'« anthropologie » platonicienne que de tenir compte de l'usage des objets, des biens extérieurs, dans la définition de l'existence humaine. On doit alors prêter attention, notamment en 130d, à la distinction qui est faite entre l'homme et ce qui, en lui, est proprement sujet ; car si l'on peut « affirmer qu'il n'y a rien en nous qui ait davantage d'autorité que l'âme », c'est bien que nous sommes aussi autre chose que cette âme (nous sommes aussi et d'une certaine façon ce corps et les objets qui s'y rapportent).

Les deux exemples de 128a-c (le pied et *sa* chaussure ; le doigt et *sa* bague) portent sur le rapport de dépendance qui existe entre ce que nous sommes et ce qui est à nous. La bague est *pour* le doigt ; la première dépend du second, son existence est déterminée par le second. Où l'on peut dire que l'objet bague ou chaussure comme la technique qui permet de les fabriquer tirent leur raison d'être de ces parties du corps, et donc aussi leur explication. La fin de la technique du cordonnier est de produire un ouvrage qui puisse convenir au pied. C'est-à-dire que l'artisan cordonnier devra fabriquer son ouvrage en vue d'un usage, lui-même défini par ce qui convient au pied ; quant à ce qui convient au pied, cela ne peut être déterminé à son tour que par la technique qui a le soin du pied pour objet, la médecine. Elle-même, enfin, doit de toute évidence être subordonnée au soin qu'il convient de prendre de l'ensemble de l'existence, cette fameuse « technique qui permet de s'améliorer soi-même » (128e). Une continuité est donc établie entre les trois objets par la possession et l'usage desquels la vie humaine peut être qualifiée. Une continuité qui, bien sûr, distingue aussi ces trois objets et les trois rapports techniques qu'on peut entretenir avec eux, et le fait selon l'ordre des raisons, puisque chaque technique trouve sa raison dans celle qui la précède, et que chaque objet est en vue de celui qui le précède, qu'il trouve sa fin en lui et qu'il n'est connu que par lui. L'anthropologie triple aura donc distingué des types d'objets, mais elle les aura aussi liés, de telle sorte que l'usage de chacun d'entre eux supposera, pour être convenable, que l'on ait défini le bon usage du type précédent. C'est la raison pour laquelle, finalement, seul le soin de l'âme permet un soin convenable du corps et des biens extérieurs. Les rapports successifs de dépendance (la chaussure est au pied, le pied est à nous) permettent (128d-e) d'atteindre la conclusion selon laquelle ce qui est à nous et nous ne sont pas une seule et même chose. Remontant les rapports de dépendance, on aura atteint le *sujet* de la possession, soi-même. Il reste alors et toujours à définir ce soi-même *et* la technique qui permettra d'en prendre soin.

L'*Alcibiade* en revient ainsi de nouveau au précepte delphique : satisfaire à l'injonction divine suppose d'abord qu'on distingue les activités selon qu'elles se rapportent à ce qui est à nous ou pas à nous, puis qu'on définisse le soi, ce qu'est ce soi-même en tant que tel (129b).

9. Qu'est-ce que soi-même ?

Afin de résoudre la première difficulté, Socrate a de nouveau recours au paradigme et à des exemples techniques qui, grâce à la notion d'usage, lui permettent de distinguer effectivement ce que nous sommes, comme sujet d'une activité, de ce dont nous nous servons. Appliquée à la tripartition anthropologique précédente (trois sortes d'objets et trois sortes de techniques appropriées), une telle distinction doit désigner ce qui, en l'homme, est proprement le sujet de ses actions. Les exemples techniques de 129c-129d distinguent ainsi le technicien des instruments ou outils dont il fait usage, avant qu'on puisse en tirer une leçon pour l'homme, qui sera donc dit différent des outils dont il se sert, mais aussi « différent de son propre corps » (129e). Cette affirmation et avec elle les autres conséquences déduites de l'application du schème de l'usage sont d'une importance d'autant plus décisive qu'elles vont donner lieu à ce que la postérité a estimé être la principale leçon de l'*Alcibiade*, que l'homme est l'âme. Rétrospectivement, les pages 128d-132b se révèlent être la source de ce que bon nombre d'interprètes contemporains sont désormais convenus d'appeler « la tradition de l'*Alcibiade* » ou « l'anthropologie de l'*Alcibiade* », afin de désigner la tradition qui, du platonisme au christianisme, identifiera la nature humaine à la seule âme, aux dépens du corps et des biens extérieurs et, plus particulièrement, la tradition éthique qui fera consister le bonheur humain dans la seule vertu de l'âme, aux dépens des satisfactions corporelles ou extérieures.

L'*Alcibiade* cherche donc ici à spécifier ce qui, en l'homme, est proprement sujet. Ce qui fait que tel individu humain est le sujet de telle ou telle activité. En d'autres termes, on doit désormais se demander quel est le substantif qui correspond au pronom que le dialogue a jusqu'à présent évoqué (le « soi »). Comment nommer ce qui, en l'homme, est sujet ? Les différents exemples techniques ont désigné l'homme comme le sujet d'un usage : il fait usage d'objets techniques ou d'instruments, mais il fait encore usage de son propre corps. Ce sujet qui se sert d'objets, qui est-il ? Pour le définir, l'entretien doit identifier un principe d'individuation, ce qui fait qu'un individu particulier est tel ou tel, distinct des autres. Les différences de noms et même de corps, si elles distinguent entre eux des particuliers, Alcibiade et Socrate, n'expliquent toutefois pas pourquoi ces individus diffèrent dans leur manière d'agir, c'est-à-dire dans la façon dont ils font usage de leur corps ou d'objets. Or c'est la connaissance de ce sujet d'usage qu'il faut obtenir. Appliquée à la tripartition des objets anthropologiques (les objets d'usage, le corps et l'âme), la catégorie de l'usage permet d'établir, en 130c, que l'homme est une âme se servant d'un corps et d'objets [1]. Mais cette définition trop fameuse, comme y insiste Socrate, reste provisoire. Elle suffit certes à montrer que l'homme ne peut être identifié à son corps ou aux autres choses dont il se sert, et que seule l'âme peut être considérée comme le sujet éthique d'une action quelconque. On peut donc, de ce point de vue, atteindre à la conclu-

1. La définition de l'homme comme âme n'est en rien une spécificité de l'*Alcibiade* ; elle est explicite ou implicite dès l'*Hippias mineur*, 376b, puis, entre autres, dans le *Gorgias* (506c sq.), le *Phédon* (69e sq.) et les *Lois* (XII, 959b). Il faut signaler encore que l'*Alcibiade* ne s'intéresse pas à l'homme comme âme, mais à l'âme comme homme (c'est-à-dire à l'âme comme sujet, comme le font notamment la fin du *Phédon* 115b-c ou, dans un autre contexte, la *République* V, 469d).

sion de l'entretien, en désignant l'âme comme ce dont il faut prendre soin pour s'améliorer soi-même. Le précepte delphique paraît alors élucidé : se connaître soi-même, c'est connaître son âme. Mais l'existence des pages 132b et suivantes pourra sembler déroutante une fois établi que l'homme, c'est l'âme ; là où le dialogue devrait pouvoir s'interrompre, il se poursuit. Que se connaître soi-même suppose que l'on connaisse son âme ne va pas de soi pour Alcibiade, qui demande encore qu'on lui explique *comment* prendre soin de cette âme que nous sommes. C'est la fonction du paradigme de la vue (132c-133c) que de répondre à cette question, et de résoudre par là même la question du dialogue, telle qu'elle avait été formulée définitivement en 124d-e : quand un homme projette de devenir meilleur, quelle est l'excellence qu'il vise ? Si le paradigme lui donne réponse, il déplace aussi et du même coup sensiblement les enjeux de l'entretien et, de nouveau, la compréhension du précepte delphique.

10. Apercevoir l'excellence

Le paradigme de la vue, qui est pour beaucoup dans le succès à venir de l'*Alcibiade*, est au cœur d'un argument subtil que la postérité aura eu tendance, aux dépens de la cohérence du dialogue, à lire pour lui-même et indépendamment du reste de l'entretien [1].

La question posée est donc la suivante : qu'est-ce que *et* comment se connaître soi-même ? Ou encore, que signifie le précepte delphique et comment peut-on le mettre en œuvre, comment donner satisfaction au dieu qui nous intime de nous connaître nous-

1. La chose est assez frappante quand on considère que, dans la bibliographie plutôt maigre des études modernes consacrées à l'*Alcibiade*, la majorité d'entre elles porte sur les six dernières pages du dialogue. Et de plus, que le paradigme n'y est guère rapporté à ce qui précède et surtout à ce qui suit (sa leçon, qui en est pourtant donnée en 134).

mêmes ? À dire vrai, le paradigme de la vue ne répond pas à cette double question ; il en précise seulement un aspect.

En bref et avant d'en examiner le contenu, le paradigme permet de montrer que, de même qu'on voit dans l'œil d'un autre homme ce qui est l'excellence de tout œil (la pupille qui est le véritable sujet de la vision), de même on doit apercevoir dans l'âme d'un autre homme ce qu'est l'excellence de tout homme (l'intellect qui est le véritable sujet de la réflexion). Où l'on constate qu'il n'est pas question de connaître l'œil (ou l'âme), mais seulement d'apercevoir ce qu'il fait le mieux, ce qu'est son excellence propre. L'analogie que produit le paradigme doit simplement désigner l'équivalent en l'âme de la pupille, c'est-à-dire ce qui en elle fait ce qu'elle fait de mieux. Et ce que l'âme fait de mieux, à tel point qu'elle le fait divinement, c'est réfléchir.

Plus précisément, le paradigme est la conséquence du constat précédent selon lequel se connaître soi-même, c'est se connaître comme âme, se servant d'un corps et d'objets. Le dialogue pourrait bien s'en tenir là et s'achever avec les conclusions des pages 130e-132b, lorsque Socrate obtient d'Alcibiade qu'il reconnaisse effectivement que se connaître lui-même (être « tempérant ») doit consister à connaître son âme, car c'est elle qu'il convient d'éduquer, et rien d'autre, afin de devenir meilleur. Socrate, parce qu'il est le seul à aimer véritablement Alcibiade *lui-même*, c'est-à-dire à aimer *son âme*, peut alors l'inviter à se connaître lui-même et à prendre soin de son âme, avant de se lancer inutilement et périlleusement dans les affaires de la cité. Cette conclusion repose sur une certitude désormais acquise : ce qui nous individue comme sujet humain, ce qui fait que nous sommes Socrate, Alcibiade ou un autre, c'est notre âme. Prenant soin d'elle, plutôt que de notre seul corps ou de nos seules richesses, nous prendrons donc soin de nous-mêmes. Mais le dialogue ne peut s'en tenir là, pour une raison très simple : cette définition psychique du sujet humain, si elle donne bien un objet au précepte delphique, l'âme en l'occurrence, ne lui donne ni réponse suffisante ni satisfaction effective. Comme le fait remarquer Alcibiade, dire que nous sommes une âme ne peut en effet suffire à expliquer comment en prendre soin. La question se pose de la *manière* dont on peut et doit en prendre soin (132b5-7). Si prendre soin de son âme c'est l'éduquer, alors l'éducation, celle qu'a reçue Alcibiade, ou celle encore des Lacédémoniens et des Perses qu'évoquait Socrate, devrait suffire à l'excellence : or tel n'était pas le cas. Il s'agit donc, si l'on veut rendre effective la connaissance de soi qui doit donner lieu à la maîtrise de soi qu'on nomme « tempérance », de définir précisément les conditions d'amélioration de l'âme. Cela suppose, selon le raisonnement déjà appliqué aux yeux, aux oreilles, au corps et, pour partie, à la cité (126a-128a), qu'on identifie ce dont la présence en l'âme la rend meilleure, ce qui, en elle, fait qu'elle est excellente ou pas. Il faut donc découvrir, non pas seulement que l'homme est l'âme, mais ce qui fait qu'une âme est ce qu'elle est. Puisque chaque soi-même est une âme, quel est ce soi-même lui-même, quel est le soi qui, en l'âme, fait que l'âme est telle ou telle, âme excellente ou non, âme d'Alcibiade ou âme de Socrate ? Si ce n'est pas tant le visage, le corps, le nom ou les biens possédés qui permettent de distinguer les sujets humains, c'est cet aspect ou élément de l'âme qui doit, en dernier lieu, le permettre. Le paradigme de la vue (132c-133c) a pour fonction, *pour unique fonction*, de répondre à cette question : qu'est-ce qui, présent en l'âme, l'améliore ? Ou, pour le dire autrement et dans les termes éthiques de l'entretien, qu'est-ce qui distingue les âmes sous l'aspect de leur excellence, qu'est-ce qui fait, en dernier lieu, la bonté de l'homme ? Répondre à une telle question suppose d'abord que l'on définisse cet élément dont l'âme est pourvue ou non lorsqu'elle est excellente ou pas (car l'âme n'est ni spontanément excellente ni vouée par nature à l'errance et au mal). Puis ensuite, dans la mesure où il est question ici de tout sujet humain, de toute âme, que l'on montre en quoi cet élément, cause de l'excellence humaine, n'est pas spécifique à un sujet particulier (comme peuvent l'être le visage, le corps, le nom ou les richesses d'un individu quelconque). Et enfin, que l'on puisse en déduire que c'est la manière dont est soigné cet élément qui va véritablement distinguer les sujets entre eux, expliquer que certains sont bons quand d'autres ne le sont pas.

Le paradigme de la vue (132e-133a) est utilisé afin d'identifier ce qu'on peut légitimement appeler le sujet humain ou le « soi », mais aussi afin de montrer de quelle manière ce sujet est susceptible de devenir le sujet éthique d'une amélioration. La fonction du paradigme est donc double. Le choix de la vue s'impose d'abord pour cette raison que le sens visuel est l'analogue privilégié, dans la culture grecque comme dans la philosophie platonicienne, de la pensée : connaître quelque chose, c'est le voir avec l'œil ou les yeux de l'âme [1]. Mais le paradigme exploite ici un phénomène précis, un cas de vision bien particulier : lorsqu'un homme regarde dans l'œil d'un autre homme, il se voit lui-même dans la pupille de cet œil, il y voit son visage comme dans un miroir. Ce phénomène spéculaire, qui donne son nom grec à la pupille [2], permet de résoudre une difficulté qui est aussi bien celle du sujet de la vision que du sujet de la connaissance : comment l'un ou l'autre peuvent-ils se prendre eux-mêmes pour objet ? De même qu'on ne peut se voir soi-même sans

1. Ce que suggèrent la plupart des termes relatifs à la pensée ou à la connaissance, tous issus de termes « ophtalmiques » ; voir l'étude d'A. Soulez-Luccioni (1974), « Le paradigme de la vision de soi-même dans l'*Alcibiade majeur* », p. 200 sq., et surtout les remarques de J. Brunschwig (1996), « La déconstruction du " Connais-toi toi-même " dans l'*Alcibiade majeur* », p. 74 sq.

2. Le grec appelle petite fille (*kórē*), ou poupée, la pupille de l'œil, précisément afin de désigner le fait que l'image de la personne qui la regarde s'y reflète. Mais le terme désigne encore la figurine votive, la statuette d'une divinité, fabriquée en terre cuite et posée à l'extérieur des bâtiments (comme Platon en donne un exemple, *Phèdre* 230b). En 133a1-3, on doit toutefois distinguer l'image réfléchie sur la pupille de l'organe lui-même (voir la note 143 de la traduction).

en passer par le truchement spéculaire d'un miroir, de même ne peut-on être à la fois sujet et objet de connaissance sans en passer par l'observation d'une autre âme. Se connaître soi-même exige donc l'expérience d'une certaine altérité. Mais laquelle au juste ? Que le paradigme soit celui du regard dans la pupille d'autrui et non pas dans un simple miroir (où l'on se voit, après tout, bien mieux) suggère que c'est au miroir d'un semblable que l'on peut seulement se connaître, que c'est en connaissant autrui comme un autre soi-même qu'on peut, par *réflexion*, se connaître soi-même. Mais cette compréhension *altruiste* du paradigme, qu'on trouvera développée chez Aristote [1] et qui eut depuis pour elle les faveurs de bien des lecteurs, n'en demeure pas moins étrangère à l'argument platonicien. Ne serait-ce que pour cette raison que ce qui est vu dans la pupille d'autrui, ce n'est pas moi-même, mais c'est *ce que je pourrais être* et *ce à quoi je pourrais ressembler* à la faveur d'une transformation de moi-même. Regardant une autre âme, je peux voir en elle, à supposer qu'elle en dispose, cet élément qui est le sujet de l'excellence de toute âme : la réflexion [2]. Une réflexion dont je découvre en même temps la nature divine. Il faut donc comprendre que, de même que je vois dans la pupille d'autrui ce que son œil voit (ma personne), de même je découvre dans l'âme d'autrui ce à quoi il réfléchit. La leçon du paradigme n'est pas qu'on se connaît mieux dans l'âme d'autrui, ce qui serait aussi faux que de dire qu'on se voit mieux dans la pupille d'autrui que, par exemple, dans un miroir, mais elle consiste en ceci qu'on découvre par

1. Dans l'*Éthique à Nicomaque* (IX, 9) ou l'*Éthique à Eudème* (VII, 12) et, à leur suite, dans les *Magna Moralia* qui sont l'œuvre d'un aristotélicien inconnu (II, 15, 1213a). Sur l'usage aristotélicien du paradigme, voir de nouveau l'étude déjà citée de J. Brunschwig (1996), qui distingue, à juste titre et notamment contre A. Linguiti (1981), « Il rispecchiamento nel dio. Platone, *Alcibiade Primo*, 133c8-17 », l'usage platonicien du paradigme de sa reprise aristotélicienne.

2. Ou encore le savoir, puisque ces deux termes désignent ce qui fait l'excellence de l'âme (133b-c).

le moyen de l'âme d'autrui ce qui nous permet de devenir excellent : la réflexion. Le regard porté sur autrui accomplit ainsi sa double fonction : il me fait voir ce que je suis (une âme susceptible, comme cette autre âme, de réflexion et de savoir) et ce à quoi je puis ressembler (le divin) ; il me reste alors à prendre soin de mon âme afin qu'elle puisse à son tour connaître un tel objet [1].

Ainsi compris et comme le souligne immédiatement Socrate (133d-e), le paradigme affecte considérablement la compréhension du précepte delphique et certaines des conclusions qu'avait atteintes l'entretien.

En premier lieu, si c'est la réflexion qui constitue l'excellence de toute âme, alors se connaître soi-même signifie quelque chose de bien particulier, qui ne peut être ni le fait de se connaître comme individu possédant une âme, un corps et des biens, ni davantage celui de savoir qu'autrui a une âme éduquée de telle manière, un corps dans tel état et des biens de telle ou telle sorte. Se connaître soi-même, c'est se reconnaître comme le sujet d'une connaissance particulière, la réflexion, mais aussi comme étant soi-même semblable au divin. Le paradigme de la vue permet à Socrate d'insister sur le rapport de ressemblance qui existe entre le sujet de l'excellence de l'âme et le divin [2]. C'est cette ressemblance qu'il s'agit de connaître, car c'est elle qui est au principe de l'amélioration de soi. Les termes n'en sont certes pas clairement désignés, puisque l'*Alcibiade* ne dit pas ce que recouvre la notion

1. Comme le souligne 133b, la connaissance de l'âme par elle-même, dans le contexte qui est celui de l'éthique, suppose une médiation : pour se connaître, l'âme doit connaître ce qui fait l'excellence de toutes les âmes (la réflexion). Une telle connaissance n'est possible, pour qui ne réfléchit pas (comme Alcibiade), qu'à la condition d'observer quelqu'un qui réfléchit (Socrate).

2. Le motif de la ressemblance est récurrent ; la leçon « psychique » du paradigme est que ce qui en l'âme réfléchit est « semblable » au divin (l'adjectif *hómoios* est ainsi employé en 133a11, 133b11 et 134e5, avec le verbe ressembler, notamment en 133c5, lorsque Socrate souligne que ce qui réfléchit en l'âme ressemble [*éoiken*] au divin).

de divin, pas plus qu'il ne définit ce lieu de l'âme qui est le sujet de la réflexion. Ce dernier est toutefois nommé, il s'agit de l'intellect [1], mais les objets qui sont propres à sa fonction (la réflexion, la pensée, le savoir), comme l'exercice de cette fonction, ne sont pas définis. Il en va de même du divin, dont l'*Alcibiade* ne dit que deux choses : il est réflexion (et rien d'autre), il est action droite et heureuse (134d-e). On le voit, l'usage du terme « divin » ne satisfait aucune des habitudes et des représentations religieuses traditionnelles grecques ; le divin n'est ici que le modèle parfait de la conduite réfléchie, celle-là même qui fait défaut à Alcibiade comme à tous ceux vers lesquels l'entretien s'était tourné. Le modèle divin est ce à quoi doit s'assimiler ce qui, en l'âme, est proprement sujet d'action et de connaissance, l'intellect. Et c'est en fonction de cette ressemblance, selon qu'elle est ou non effective, que le sujet accomplira de bonnes ou de mauvaises actions (134e). De sorte que la leçon du paradigme, exposée par Socrate en 134d-135a, est que la connaissance d'une âme réfléchie nous fait découvrir le modèle divin auquel l'intellect doit s'assimiler afin de devenir le sujet excellent d'une bonne conduite [2]. Connaître une âme réfléchie, c'est connaître le sujet en toute âme de la réflexion, l'intellect semblable au divin qui exerce d'autant mieux sa fonction qu'il *s'assimile* davantage au modèle divin [3].

1. Le *noûs* (intellect), qui est donc le sujet de cette activité qu'on nomme pensée ou réflexion (*eidénai* et *phroneîn*, 133c2). Plutôt que cette *fonction* (la réflexion), les pages qui suivent et qui tirent la leçon du paradigme évoqueront son *sujet* (en montrant que sans exercer son intellect, on ne peut pas agir convenablement, 134e).

2. On comprend alors rétrospectivement l'insistance initiale sur le « démon » de Socrate (ou son divin tuteur, en 124c) ; le démon était la représentation de ce qui est désigné ici comme la part divine de l'âme, son intellect. L'ensemble de ces textes plaide bien sûr en faveur de la divinité de la réflexion (dont le démon serait finalement une allégorie).

3. L'*Alcibiade* introduit ici le thème de l'assimilation au modèle divin que la *République* développera amplement (en distinguant notamment cette assimilation de ce qui n'en serait qu'une simula-

En second lieu, une fois identifiés le sujet de la réflexion et le modèle auquel il ressemble, le paradigme de la vue permet de reprendre pour la corriger la définition de la tempérance, c'est-à-dire de la connaissance de soi. Qu'être tempérant consiste à se connaître soi-même semble aller de soi ; Socrate l'affirme sans le justifier (en 131b). C'est donc que la tempérance nomme simplement cette connaissance de soi dont l'entretien avait déjà établi qu'elle devait rendre possible le soin et l'amélioration de soi, une connaissance qui, parce qu'elle est celle d'une activité d'amélioration, peut être qualifiée de technique. Cette dernière définition de la tempérance comme technique de l'amélioration de soi [1] achève l'entretien et donne lieu à quatre remarques. Déduite de cette définition de la tempérance, une explication psychologique de la conduite humaine peut désormais être donnée. Qu'il s'agisse d'un particulier ou d'une communauté, la bonne ou la mauvaise conduite a désormais une cause, la connaissance ou l'ignorance de soi. C'est donc ensuite que l'on peut définir avec précision l'excellence humaine et fonder ainsi une éthique sur une norme : la bonté en l'homme consiste en l'exercice intellectuel de la réflexion, quand son absence explique la mauvaise conduite [2]. Outre cette conséquence éthique, on peut encore déduire de la définition de la tempérance une exigence politique : dans la mesure où l'homme bon est celui qui sait comment améliorer tout homme,

---

tion, une *mimēsis*). Le cadre en est toutefois déjà fixé : bien agir suppose que l'on prenne pour modèle de notre pensée et de notre action la perfection divine (que l'on porte nos regards sur elle, 134d), puis que l'on s'y assimile le plus qu'il nous est possible de le faire, compte tenu de ce que nous sommes ; le *Théétète* fera de cette assimilation la fin de l'existence humaine, 176a-177a.

1. 133e répond ainsi à la question posée en 128d (« par le moyen de quelle technique pourrions-nous prendre soin de nous-mêmes ? ») : la technique en question est la tempérance, et le savoir qui la fonde est la connaissance de soi comme sujet de la réflexion.

2. L'absence de l'excellence qu'est la réflexion est la cause de la mauvaise action (135a-b).

il doit gouverner dans la cité (135a-b [1]). En matière de conduite commune (politique) comme privée (éthique), sans que l'on ait à distinguer ces deux ordres, c'est donc le même critère d'excellence qui doit présider à l'évaluation des sujets et des comportements. Et cela, enfin, est d'autant plus important que la bonne conduite ainsi définie est celle qui permet d'atteindre à la fin de toute existence, le bonheur (134a-b).

L'entretien donne à terme réponse aux questions qu'avait suscitées la rencontre d'Alcibiade et de Socrate ; il est possible désormais, dans la mesure où l'on sait ce qui fait l'excellence du rapport à soi comme du rapport aux autres, de juger le bien-fondé des aspirations d'Alcibiade. De les dénoncer, puisque celui-ci ne satisfait pas la commune exigence de l'éthique (il ne se connaît pas lui-même) et de la politique (il ignore encore ce que sont les autres). Et de dénoncer avec lui tous ceux des dirigeants athéniens ou des prétendants à l'exercice du pouvoir qui se sont trouvés ou se trouvent encore dans cette même situation d'ignorance [2]. La voie d'une réforme est ainsi indiquée à Alcibiade comme à tous ses concitoyens : la connaissance et la maîtrise de soi par soi (« tempérance ») devant s'accompagner de la connaissance et de la maîtrise des autres (« justice [3] »). Mais elle ne l'est qu'al-

1. Platon indique ici la façon dont il entend résoudre la question de l'exercice du pouvoir dans la cité. Contre le principe démocratique d'une participation à cet exercice étendue à tous les citoyens, il promeut un critère restreint de forme aristocratique (seuls les hommes les meilleurs, les *áristoi*, peuvent exercer le pouvoir), qui n'en demeure pas moins une objection définitive au pouvoir aristocratique ou oligarchique traditionnels, puisque ni la naissance ni la fortune ne doivent être prises en compte : tout pouvoir qui ne serait pas fondé sur l'excellence de la réflexion doit être désormais tenu pour illégitime.

2. Les dernières remarques de Socrate (en 133d-135c) sont adressées à « certains hommes » (133d-134b), à Alcibiade qui, comme eux, ne se connaît pas lui-même (134b-134d), puis à Alcibiade et à la cité dans son ensemble, considérée comme un seul et même sujet ignorant (134d-135c).

3. Voir notamment 135e ; la justice revient à terme comme

lusivement, sans que l'on sache comment la cité peut parvenir à se connaître et à se maîtriser elle-même, sans que l'on sache encore ce que peut signifier, pour une cité, que d'être excellente et de porter ses regards sur le divin. Pour la deuxième et dernière fois, l'entretien rencontre, sans la résoudre, une difficulté politique décisive. Mais les conditions de cette enquête sont données : une certaine connaissance au principe du gouvernement de soi et des autres, une connaissance du divin auquel on peut s'assimiler dès lors qu'on parvient à le concevoir par la pensée. En ces termes, les derniers mots de l'*Alcibiade* font signe vers la façon dont la *République* va concevoir la cité sur un modèle psychologique, afin de résoudre la difficulté inhérente à l'organisation réciproque d'activités et de compétences distinctes, tout en défendant l'hypothèse ici formulée selon laquelle la connaissance intellectuelle du divin est la condition du soin des affaires humaines.

Considéré rétrospectivement, depuis la *République* qui lui est incontestablement postérieure, l'*Alcibiade* ne semble pas pouvoir être rangé au rayon des dialogues socratiques qu'on dit parfois de jeunesse ; c'est bien plutôt « à l'époque du *Gorgias* », qui est celle d'une réflexion sur les fondements possibles d'une réforme éthique et politique de la vie athénienne, que Platon paraît avoir conçu cette rencontre du sujet psychique et de son divin modèle.

Jean-François PRADEAU

---

l'équivalent pour la cité de la tempérance individuelle. Ce qui implique, sans que l'entretien s'y attarde, que la cité soit elle-même un sujet de connaissance et de conduite (comme le supposent les comparaisons de 134d-135c). Sur cette personnification de la cité, voir J.-F. Pradeau, *Platon et la cité*, *op. cit.*, p. 13-24.

REMARQUES PRÉLIMINAIRES

Le texte traduit est celui établi par Antonio Carlini en 1964 (voir la bibliographie). Voici la liste des quelques points sur lesquels nous n'avons pas suivi cette édition :

En 107b8-10, nous avons déplacé deux répliques qui figurent en 107b8-10 (Πῶς γὰρ οὔ [...] πλουτοῦντος) chez Carlini et qui sont ici traduites après 107c2.

En 107e9, nous ne traduisons pas la conjecture ἄν.

En 109b5, nous traduisons ει et non pas ῄ.

En 113a4, nous traduisons ἐρῶ και ποῖα.

En 115e5-e7, nous ne traduisons pas les deux répliques supplémentaires qu'on trouve chez Stobée.

En 119b1, nous traduisons κοινῇ βουλῇ.

En 119e8, nous traduisons ὁποτε et non εἴ ποτε.

En 122d3, nous ne traduisons pas la conjecture εις.

En 128a13-b1, nous ne traduisons pas les deux répliques supplémentaires qu'on trouve chez Stobée.

En 133a10, nous ne traduisons pas la conjecture όν.

En 133c6-7, nous traduisons θεόν τε καὶ φρόνησιν.

En 134d1-e7, nous traduisons ces lignes écartées par Carlini.

On signale au lecteur qui suit la traduction en se reportant au texte grec que l'on trouve dans la Collection des universités de France aux Belles Lettres (édition de M. Croiset), ou dans celle des Classical Texts d'Oxford (édition de J. Burnet), que l'édition d'A. Carlini, plus complète et beaucoup plus précise, n'en diffère toutefois pas grandement (voyez la liste des changements que donne A. Carlini, p. 8).

Outre les variantes qui distinguent entre elles les leçons des différents manuscrits de l'*Alcibiade* (qu'A. Carlini présente longuement dans l'introduction de son édition), l'établissement du texte du dialogue suppose que l'on tienne compte de la forme sous laquelle il est cité dans les manuscrits des commentaires néoplatoniciens, celui de Proclus et d'Olympiodore en tout premier lieu. Mais les différences ne sont toutefois pas considérables, par exemple, entre les trois principaux manuscrits platoniciens (B et T, puis W) et le texte que donne Proclus.

Nous avons suivi et indiqué entre crochets la pagination courante de l'édition standard réalisée par Henri Estienne à Genève en 1578. Mais les numéros des lignes, lorsqu'ils sont mentionnés, le sont d'après l'édition d'A. Carlini.

Chantal MARBŒUF et Jean-François PRADEAU

ALCIBIADE

[*ou : Sur la nature de l'homme, genre maïeutique* [1]]

SOCRATE

[103a] Fils de Clinias [2], tu es étonné, je pense, que moi qui ai été ton premier amoureux [3], je sois le seul à ne pas m'être éloigné quand tous les autres s'en sont allés, mais aussi que je ne t'ai pas même adressé la parole pendant tant d'années, alors que les autres t'importunaient par leurs entretiens. La cause n'en était pas humaine, mais c'était quelque opposition inspirée par un démon, dont tu apprendras plus tard la puissance [4]. Mais maintenant **[103b]** qu'il ne s'y oppose plus, je suis donc venu à toi et j'ai espoir qu'il ne me retienne plus dorénavant. Pendant ce temps, j'ai observé dans quelles dispositions tu avais été avec tes amoureux et j'ai remarqué ceci : pourtant nombreux et orgueilleux, pas un qui n'ait fui loin de toi rebuté par ton arrogance. **[104a]** Le motif de ton orgueil, je veux te l'exposer. Tu prétends n'avoir besoin de personne, car les moyens mis à ta disposition sont si grands que tu n'as besoin de rien, en commençant par le corps et en finissant par l'âme : d'abord, déjà, tu te penses très beau et très important, et à ce sujet il est clair pour tout le monde que tu ne mens pas. Ensuite, tu es issu de l'une des familles les plus entreprenantes dans ta propre cité, qui est la plus grande des cités grecques. Du côté de ton père, **[104b]** tu as des amis et des parents nombreux et excellents qui, s'il le fallait, viendraient à ton aide ; et du côté de ta mère, d'autres qui ne sont ni moins nombreux ni moins excellents. Mais plus important que tout ce dont je viens de parler, tu penses avoir à ta disposition la puissance de Périclès, fils de Xanthippe [5], que ton père a laissé comme tuteur à toi et à ton frère, celui qui peut faire ce qu'il veut non seulement dans cette cité, mais aussi dans toute la Grèce et dans de nombreuses et grandes nations barbares. J'ajouterai encore **[104c]** que tu fais partie des riches. Pourtant, c'est à ce sujet que tu me sembles le moins fier. Enorgueilli par toutes ces choses, tu as dominé tes amoureux, et ceux-là t'étant parfaitement inférieurs t'ont été soumis, ce qui ne t'a pas échappé. Voilà pourquoi je sais bien que tu t'étonnes de ce que j'ai toujours en tête de ne pas te délivrer de mon amour et de l'espoir dont je me nourris pour persister lorsque les autres ont fui.

ALCIBIADE

Vraisemblablement, Socrate, tu ne sais pas que tu m'as devancé de peu. J'avais en effet l'idée d'aller vers toi **[104d]** le premier, pour te demander ce que tu veux. Quel espoir caresses-tu ? Tu me troubles à être toujours là où je suis. Vraiment, je me demande quel est ton but et je l'apprendrai avec plaisir.

SOCRATE

Tu m'écouteras donc volontiers, comme il convient, si toutefois, comme tu le prétends, tu veux savoir ce que j'ai en tête et m'écouter ; et te parlerai-je comme à quelqu'un qui écoute patiemment ?

ALCIBIADE

Très certainement, mais alors parle.

SOCRATE

Fais donc attention. Il ne serait **[104e]** pas étonnant que, de même que j'ai commencé avec peine, j'ai autant de difficulté à terminer.

ALCIBIADE

Parle donc, cher Socrate, je t'écoute.

SOCRATE

Il faut donc que je parle. Il est difficile à un amoureux de s'avancer vers un homme qui ne se laisse pas dominer par ses amoureux. Il me faut néanmoins oser exprimer ma pensée, car pour ma part, Alcibiade, si je te voyais satisfait de ce que je viens d'exposer et penser devoir passer ta vie à cela, depuis longtemps j'aurais cessé de t'aimer, **[105a]** j'en suis persuadé. Mais je vais maintenant te révéler à toi-même tes pensées et tu verras combien j'ai persévéré à t'observer. Si quelque dieu te disait : « Alcibiade, que veux-tu ? Continuer à vivre ayant ce que tu as maintenant, ou mourir à l'instant même, s'il ne t'était pas possible d'acquérir davantage ? », il me semble que tu préférerais mourir. Mais maintenant quel espoir te porte ? Je vais te le dire. Tu penses que si assez vite tu t'avançais pour prendre la parole devant le peuple athénien [6] – et tu le penses possible **[105b]** d'ici peu –, t'étant donc avancé vers eux, tu prouverais aux Athéniens que tu mérites d'être honoré comme ni Périclès ni personne d'autre avant lui ne l'a été, et qu'ayant fait cette démonstration, tu seras tout-puissant dans la cité [7]. Et si tu es tout-puissant ici, tu l'es aussi dans le reste de la Grèce, et non seulement chez les Grecs, mais aussi chez les Barbares qui habitent le même continent. Et si ce même dieu te disait ensuite qu'il te faut exercer ton pouvoir en Europe, mais qu'il ne te sera pas permis de passer **[105c]** en Asie et d'intervenir dans les affaires de là-bas, il me semble encore que tu ne voudrais pas vivre non plus en t'en tenant à cela seulement, ne pouvant pas, pour ainsi dire, remplir de ton nom et de ta puissance tous les hommes [8]. Et je crois qu'à part Cyrus et Xerxès [9], tu n'estimes personne digne de considération. Voilà tes espérances, je le sais bien et je ne le conjecture pas. Tu me dirais vraisemblablement, sachant que je dis la vérité : « Quel rapport, Socrate, avec le discours que tu prétends **[105d]** tenir selon lequel tu ne t'éloignes pas de moi ? » ; je te répondrai alors : « Cher fils de Clinias [10] et de Dinomachè, il est impossible que tu réalises tous tes projets sans moi, si grande est la puissance que je pense exercer sur tes affaires et sur toi. C'est pourquoi, je crois, le dieu ne me laisse pas depuis si longtemps dialoguer avec toi. J'ai attendu sa permission. Car de même que **[105e]** tu mets ton espoir dans la cité, lui démontrant que tu es pour elle de la plus grande valeur et que tu pourras ainsi exercer sur-le-champ tout le pouvoir, de même j'espère exercer la même puissance sur toi, t'ayant démontré que je suis d'une très grande valeur pour toi et que ni ton tuteur, ni un parent, ni personne d'autre n'est capable de t'accorder la puissance que tu désires, si ce n'est moi, en accord bien sûr avec le dieu. » Il me semble que le dieu ne me laissait sans doute pas m'entretenir avec toi qui étais trop jeune et avant que tu ne sois rempli de cette ambition, afin que je ne perde pas mon temps. Maintenant il ne me retient plus. **[106a]** Maintenant tu peux m'écouter.

ALCIBIADE

Tu me sembles maintenant, depuis que tu as commencé à parler, bien plus étrange que quand tu me suivais en silence. Et pourtant même alors tu me semblais bien étrange. Si vraiment j'ai ou non ces idées en tête, tu l'as discerné à ce qu'il semble et si je dis le contraire, je ne pourrais en rien davantage t'en persuader. Soit ! Si donc ce sont ces projets qui m'occupent le plus, comment cela se réaliserait-il grâce à toi et non sans toi ? Qu'as-tu à dire ?

SOCRATE

Me demandes-tu si je peux t'adresser **[106b]** un long discours comme tu es habitué à en entendre ? Ce n'est pas ma manière [11]. Mais je crois pouvoir te démontrer qu'il en est ainsi, si toutefois tu voulais me rendre un petit service.

ALCIBIADE

Si le service dont tu parles n'est pas trop difficile, je veux bien.

SOCRATE

Eh bien, répondre à mes questions te semble difficile ?

ALCIBIADE

Ce n'est pas difficile.

SOCRATE

Réponds donc.

ALCIBIADE

Interroge-moi.

SOCRATE

Je t'interroge donc bien sûr comme si tu tenais les réflexions **[106c]** que je te prête [12].

ALCIBIADE

Qu'il en soit ainsi pour que je voie ce que tu vas dire.

SOCRATE

Voyons donc. Tu médites donc, comme je l'affirme, d'aller prochainement donner des conseils aux Athéniens. Si donc, au moment où tu es prêt à monter à la tribune, je t'arrête pour te dire : à quel sujet, quand les Athéniens décident de délibérer, te lèves-tu pour les conseiller ? N'est-ce pas lorsque tu t'y connais mieux qu'eux sur ce sujet ? Que me répondrais-tu ?

ALCIBIADE

Je dirais évidemment que sur ce sujet je m'y connais **[106d]** mieux qu'eux [13].

SOCRATE

C'est donc au sujet des choses que tu connais que tu es de bon conseil ?

ALCIBIADE

Comment n'en serait-il pas ainsi ?

SOCRATE

Ces choses, les connais-tu uniquement par d'autres, ou les as-tu découvertes par toi-même ?

ALCIBIADE

Que pourrais-je connaître d'autre ?

SOCRATE

Se peut-il donc qu'un jour tu aies appris ou trouvé quelque chose sans vouloir ni l'apprendre ni le chercher toi-même ?

ALCIBIADE

Cela ne se peut pas.

SOCRATE

Par ailleurs, aurais-tu voulu chercher ou apprendre ce que tu croyais savoir [14] ?

ALCIBIADE

Certes non !

SOCRATE

Ce que maintenant tu sais **[106e]**, y avait-il un temps où tu ne pensais pas le savoir ?

ALCIBIADE

Nécessairement.

SOCRATE

Mais, à coup sûr, ce que tu as appris, je le sais à peu près moi aussi. Si quelque chose m'a échappé, dis-le moi. Tu as donc appris, d'autant qu'il m'en souvienne, ton alphabet, la cithare, la lutte, mais tu n'as pas voulu apprendre la flûte [15]. Voilà ce que toi tu sais. À moins, je crois, que tu n'aies appris quelque chose à mon insu, sans sortir de chez toi ni la nuit ni le jour.

ALCIBIADE

Je n'ai pas fréquenté d'autres cours que ceux-ci.

SOCRATE

[107a] Est-ce donc lorsque les Athéniens délibèrent à propos de l'orthographe que tu te lèverais pour leur porter conseil ?

ALCIBIADE

Par Zeus, certes non.

SOCRATE

Alors lorsqu'ils traitent du jeu de la lyre ?

ALCIBIADE

Nullement.

SOCRATE

Ils ne sont non plus guère habitués à délibérer à l'assemblée des jeux de lutte.

ALCIBIADE

Bien sûr que non.

SOCRATE

Mais alors, de quel sujet délibéreront-ils ? Car ce n'est pas lorsqu'ils discutent de l'art de construire.

ALCIBIADE

Évidemment pas.

SOCRATE

[107b] Car là-dessus un architecte conseillerait mieux que toi [16] ?

ALCIBIADE

Oui.

SOCRATE

Ce n'est pas non plus lorsqu'ils discutent de divination.

ALCIBIADE

Non.

SOCRATE

Car un devin est meilleur que toi à ce propos.

ALCIBIADE

Oui.

SOCRATE

Qu'il soit petit ou grand, beau ou laid, ou encore bien né ou d'origine modeste.

ALCIBIADE

Comment en serait-il autrement ?

SOCRATE

Que le conseiller soit pauvre ou riche, cela n'importera en rien aux Athéniens lorsqu'ils délibéreront au sujet de la santé dans la cité ; **[107c]** ils chercheront plutôt à ce que le conseiller soit un médecin.

ALCIBIADE

Avec raison.

SOCRATE

En effet, je pense que le conseil, en une matière quelconque, doit être donné par celui qui sait et non par celui qui est riche.

ALCIBIADE

Comment en serait-il autrement ?

SOCRATE

Alors, c'est donc sur quel sujet de délibération que tu te lèveras pour les conseiller convenablement ?

ALCIBIADE

Lorsqu'ils délibéreront de leurs propres affaires, Socrate [17].

SOCRATE

Tu parles des discussions sur les constructions navales, des navires qu'il faut construire ?

ALCIBIADE

Ce n'est pas ce que je dis, Socrate.

SOCRATE

En effet, je pense que tu ignores tout de la construction des navires. Est-ce pour cette raison ou pour une autre ?

ALCIBIADE

Non, c'est bien pour cette raison.

SOCRATE

Mais sur quel point de leurs **[107d]** « propres affaires » veux-tu intervenir ?

ALCIBIADE

Lorsqu'ils discutent de la guerre, Socrate, de la paix et de toute autre chose relative aux affaires de la cité [18].

SOCRATE

Est-ce que tu parles de quand il s'agit de décider avec qui il faut faire la paix, contre qui il faut faire la guerre et de quelle manière ?

ALCIBIADE

Oui.

SOCRATE

N'est-ce pas contre qui il convient mieux de la faire ?

ALCIBIADE

Oui.

SOCRATE

Et quand cela est mieux ?

ALCIBIADE

[107e] Exactement.

SOCRATE

Et aussi longtemps que cela est préférable ?

ALCIBIADE

Oui.

SOCRATE

Donc, si les Athéniens avaient à décider contre qui il faut lutter au corps à corps et contre qui il faut lutter avec les mains et de quelle manière, serait-il préférable que ce soit toi ou le pédotribe [19] qui décide ?

ALCIBIADE

Le pédotribe sans doute.

SOCRATE

Peux-tu donc me dire en vertu de quelles considérations le pédotribe conseillerait à certains de lutter, ceux-ci à bras tendus et ceux-là d'une autre manière et à un autre moment ? Autrement dit, ne convient-il pas de lutter avec ceux contre qui il vaut mieux ? Oui ou non ?

ALCIBIADE

Oui.

SOCRATE

[108a] Et autant que cela est préférable ?

ALCIBIADE

Autant.

SOCRATE

Et n'est-ce pas quand cela est préférable ?

ALCIBIADE

Exactement.

SOCRATE

Et ne faut-il pas que le chanteur accorde quelquefois son jeu de cithare et son pas à son chant ?

ALCIBIADE

Il le faut.

SOCRATE

N'est-ce pas lorsque cela est mieux ?

ALCIBIADE

Oui.

SOCRATE

Et autant que cela est mieux ?

ALCIBIADE

Je l'affirme.

SOCRATE

Alors, puisque tu nommes « mieux » aussi bien l'accompagnement du chant **[108b]** par la cithare que la lutte, que qualifies-tu de mieux dans l'art de la cithare, de même que moi j'appelle « mieux » dans la lutte ce qui concerne les exercices du corps [20] ? Toi, comment appelles-tu cela ?

ALCIBIADE

Je ne sais pas.

SOCRATE

Mais essaie de m'imiter. Je pense en effet avoir donné la réponse convenable pour toute circonstance. Or, ce qui est convenable, n'est-ce pas, je suppose, ce qui est fait selon la technique ? Oui ou non ?

ALCIBIADE

Oui.

SOCRATE

Et cette technique, n'était-ce pas celle de l'exercice du corps ?

ALCIBIADE

Comment pourrait-il en être autrement ?

SOCRATE

Et **[108c]** j'ai dit que dans la lutte ce qui est mieux, c'est l'exercice du corps.

ALCIBIADE

Tu l'as dit en effet.

SOCRATE

Et n'est-ce pas convenable [21] ?

ALCIBIADE

Il me semble que si.

SOCRATE

Allons, à toi. Il te faudrait en effet aussi raisonner convenablement. Dis-moi d'abord quelle est la technique dont dépend le jeu de la cithare, le chant et la marche correcte ? Qu'est-ce qui la désigne en entier ? Ne peux-tu pas encore le dire ?

ALCIBIADE

Vraiment non !

SOCRATE

Essaie de cette manière : quelles sont les déesses dont dépend cette technique ?

ALCIBIADE

Ce sont les Muses dont tu parles, Socrate.

SOCRATE

Bien sûr. **[108d]** Vois maintenant : quel nom ont-elles donné à cette technique ?

ALCIBIADE

Il me semble que tu veux parler de la musique [22].

SOCRATE

C'est bien d'elle que je parle. Alors, ce qui est convenable selon cette technique, qu'est-ce ? Ce que je viens de faire pour la gymnastique, fais-le toi maintenant : comment ce qui est convenable est-il obtenu ?

ALCIBIADE

Selon les règles de la musique, je crois.

SOCRATE

Tu parles bien. Avance donc ; ce qu'il vaut mieux faire dans la guerre et dans la paix, comment appelles-tu ce « mieux » ? **[108e]** De même que tout à l'heure tu disais que dans un cas ce qui est meilleur est plus musical et dans l'autre plus gymnique, essaie donc de dire ce qui est mieux ici.

ALCIBIADE

Mais je ne le peux guère.

SOCRATE

Mais quelle honte ! Si tu donnes ton avis au sujet de l'approvisionnement en nourriture et si tu dis que ceci est à tel moment mieux que cela en telle ou telle quantité, si quelqu'un te demande ensuite : « qu'entends-tu par " meilleur ", Alcibiade ? », n'aurais-tu pas à répondre à ce sujet que c'est ce qui est plus sain, bien que tu ne te prétendes pas médecin ? Mais au sujet d'une chose que tu prétends connaître, **[109a]** sur laquelle tu donneras ton avis, parce que tu la connais, si tu ne peux pas donner de réponse, n'en rougirais-tu pas ? Cela ne te semble-t-il pas honteux [23] ?

ALCIBIADE

Absolument.

SOCRATE

Réfléchis donc et efforce-toi de dire de quoi s'approche le « meilleur » lorsqu'on est en paix ou lorsqu'on fait la guerre avec qui il le faut.

ALCIBIADE

J'ai beau y réfléchir, je n'ai pas de solution.

SOCRATE

Ne sais-tu pas, lorsque nous faisons la guerre, quels malheurs nous nous reprochons les uns aux autres pour nous engager dans le combat et quels termes nous utilisons **[109b]** lorsque nous y allons ?

ALCIBIADE

Moi, qu'on nous trompe, qu'on nous fait violence ou qu'on nous a dépossédés.

SOCRATE

Continue. Comment supportons-nous chacune de ces choses ? Essaie de dire ce qui distingue l'une de l'autre.

ALCIBIADE

Veux-tu donc parler, Socrate, du juste et de l'injuste ?

SOCRATE

C'est cela [24].

ALCIBIADE

Mais cela diffère du tout au tout.

SOCRATE

Quoi donc ? Contre qui conseilleras-tu aux Athéniens de faire la guerre ? Contre ceux qui sont injustes ou contre ceux qui agissent de façon juste ?

ALCIBIADE

La question est dangereuse. **[109c]** Car si on pensait qu'il faut faire la guerre contre ceux qui agissent justement, on n'en conviendrait pas.

SOCRATE

En effet, ce n'est pas conforme à l'usage, semble-t-il.

ALCIBIADE

Certes non.

SOCRATE

Et cela ne semble pas convenable [25].

ALCIBIADE

Non [26].

SOCRATE

Te prononceras-tu, toi aussi, selon la justice sur ce problème ?

ALCIBIADE

Nécessairement.

SOCRATE

Donc, cette autre chose à propos de laquelle je te demandais ce qui est mieux, le fait de faire ou non la guerre, contre qui il faut la faire ou non, quand on la fera ou quand on ne la fera pas, se trouve-t-elle être ce qui est plus juste, oui ou non ?

ALCIBIADE

C'est ce qu'il semble.

SOCRATE

[109d] Comment donc, mon cher Alcibiade, te caches-tu à toi-même que tu ne saurais pas cela, ou bien me cacherais-tu que tu l'apprenais en fréquentant un maître qui t'apprenait à distinguer le juste de l'injuste ? Qui est ce maître ? Explique-le moi, pour que tu m'introduises auprès de lui comme élève.

ALCIBIADE

Tu te moques de moi, Socrate.

SOCRATE

Non, par le dieu de l'amitié qui est le tien et le mien [27], par lequel je jurerais le moins faussement. Mais si tu as ce maître, dis-moi qui il est.

ALCIBIADE

Mais si je n'en ai pas, **[109e]** ne crois-tu donc pas que je puisse connaître autrement le juste et l'injuste ?

SOCRATE

Oui, si tu l'as trouvé.

ALCIBIADE

Mais crois-tu que je ne l'aurais pas trouvé ?

SOCRATE

Bien sûr que si, si tu l'avais cherché.

ALCIBIADE

Et tu penses que je ne l'aurais pas cherché ?

SOCRATE

À mon avis, si tu avais pensé que tu ne le connaissais pas.

ALCIBIADE

Eh bien, n'était-ce pas quand il en était ainsi pour moi ?

SOCRATE

Tu parles convenablement ; peux-tu donc me parler de ce temps où tu ne croyais pas connaître le juste et l'injuste ? **[110a]** Allons, était-ce l'an dernier que tu le cherchais et que tu croyais ne pas le connaître ? Ou le croyais-tu ? Réponds la vérité pour que notre discussion ne soit pas vaine.

ALCIBIADE

Mais je croyais savoir.

SOCRATE

Il y a trois, quatre ou cinq ans, n'était-ce pas ainsi ?

ALCIBIADE

Je le pense.

SOCRATE

Mais auparavant, tu n'étais qu'un enfant, n'est-ce pas ?

ALCIBIADE

Oui.

SOCRATE

À ce moment, je savais bien que tu croyais savoir.

ALCIBIADE

Comment le sais-tu ?

SOCRATE

Souvent je t'entendais, enfant, **[110b]** en cours ou ailleurs et quand tu jouais aux osselets ou à quelque autre jeu ; tu ne doutais pas des choses justes et injustes, au contraire tu parlais très haut et très fort au sujet de n'importe lequel de tes camarades que tu considérais méchant ou injuste et dont tu disais qu'il te faisait du tort. Est-ce que je ne dis pas la vérité ?

ALCIBIADE

Mais que devais-je faire, Socrate, quand on me faisait du tort ?

SOCRATE

Si tu ignorais que tu subissais alors une injustice ou non, peux-tu me demander ce que tu devais faire ?

ALCIBIADE

Par Zeus, mais je ne **[110c]** l'ignorais pas et je savais à coup sûr qu'on me faisait du mal.

SOCRATE

Tu croyais donc savoir, depuis ton enfance déjà à ce qu'il semble, ce qui est juste et injuste.

ALCIBIADE

Bien sûr, et je le savais vraiment.

SOCRATE

Quand l'as-tu trouvé ? Car ce n'était certes pas à l'époque où tu croyais le savoir.

ALCIBIADE

Non, bien sûr.

SOCRATE

Quand donc pensais-tu ne pas le savoir ? Réfléchis, car ce temps, tu ne le trouveras pas.

ALCIBIADE

Par Zeus, Socrate, je ne peux certes pas **[110d]** le dire.

SOCRATE

Tu ne sais donc pas ces choses en les ayant trouvées.

ALCIBIADE

Absolument pas, à ce qu'il semble.

SOCRATE

Mais à l'instant, tu as dit ne pas le savoir en les ayant apprises. Et si tu ne les as ni trouvées ni apprises, comment le sais-tu et d'où [28] ?

ALCIBIADE

Peut-être ne t'ai-je pas répondu justement que je le savais en l'ayant trouvé par moi-même.

SOCRATE

Alors, comment cela s'est-il fait ?

ALCIBIADE

Je les ai apprises, je pense, comme les autres.

SOCRATE

Nous en revenons au même propos. De qui les as-tu apprises ? Dis-le moi.

ALCIBIADE

[110e] Du grand nombre [29].

SOCRATE

Tu ne te réfugies pas auprès de maîtres sérieux en te référant au grand nombre.

ALCIBIADE

Quoi donc ? Ce grand nombre n'est-il pas capable d'enseigner ?

SOCRATE

Bien sûr que non, pas même le jeu de trictrac [30]. Pourtant, c'est un acte bien plus insignifiant que la justice, ne penses-tu pas ?

ALCIBIADE

Oui.

SOCRATE

Par conséquent, ceux qui ne sont pas capables d'enseigner des choses sans importance, sont-ils capables d'enseigner des choses plus sérieuses ?

ALCIBIADE

Je le pense ; ils sont capables d'enseigner bien des choses plus sérieuses que le trictrac.

SOCRATE

Lesquelles ?

ALCIBIADE

[111a] Comme parler le grec, que j'ai appris d'eux ; je ne saurais dire quel a été mon maître, mais je me réfère à ceux dont tu dis qu'ils ne sont pas des maîtres sérieux.

SOCRATE

Mais, très cher, le grand nombre est bon maître en ce domaine et on se louerait à juste titre de son enseignement.

ALCIBIADE

Pourquoi donc ?

SOCRATE

Parce que en la matière il a ce qu'il faut à de bons maîtres.

ALCIBIADE

De quoi parles-tu ?

SOCRATE

Ne sais-tu pas qu'il faut que ceux qui doivent enseigner quelque chose le connaissent d'abord eux-mêmes, oui ou non ?

ALCIBIADE

[111b] Comment pourrait-il en être autrement !

SOCRATE

Assurément ceux qui savent s'accordent entre eux et ne diffèrent pas [31] ?

ALCIBIADE

Oui.

SOCRATE

Mais lorsqu'ils diffèrent, diras-tu qu'ils connaissent cette chose ?

ALCIBIADE

Certes non.

SOCRATE

Comment donc en seraient-ils les maîtres ?

ALCIBIADE

D'aucune manière.

SOCRATE

Eh bien ? Le grand nombre te semble-t-il différer d'opinion quant à ce qu'est la pierre ou le bois ? Quels que soient ceux que tu interroges, ne conviendront-ils pas des mêmes choses **[111c]** et ne se tourneront-ils pas vers elles, lorsqu'ils voudront prendre de la pierre ou du bois ? Et de la même manière pour tout ce qui est semblable ? Car je me rends compte que c'est ce que tu appelles parler le grec, n'est-ce pas [32] ?

ALCIBIADE

Oui.

SOCRATE

Assurément, comme nous le disions, les particuliers ne s'accordent-ils pas tous là-dessus et chacun avec soi-même ? Et dans le domaine public, les cités ne se disputent pas et ne sont pas d'opinion contraire à ce sujet [33] ?

ALCIBIADE

Non, assurément.

SOCRATE

Ils seraient donc **[111d]** à juste titre les bons maîtres en ce domaine.

ALCIBIADE

Oui.

SOCRATE

Si nous voulions rendre quelqu'un capable de savoir en ce domaine, ne serait-il pas convenable de l'envoyer à l'école du grand nombre ?

ALCIBIADE

Absolument.

SOCRATE

Par ailleurs, si nous voulions qu'il sache non seulement quels sont les hommes ou les chevaux, mais encore lesquels sont bons coureurs ou non, est-ce encore le grand nombre qui sera capable de l'enseigner ?

ALCIBIADE

Évidemment non !

SOCRATE

Et si tu les voyais d'avis différent en ces matières, serait-ce une preuve **[111e]** pour toi qu'ils ne s'y connaissent pas et qu'ils ne sont pas de vrais maîtres [34] ?

ALCIBIADE

Pour moi, oui.

SOCRATE

Si maintenant nous voulions savoir non seulement ce que sont les hommes, mais encore lesquels sont sains ou malades, le grand nombre serait-il capable d'être notre maître ?

ALCIBIADE

Non certes.

SOCRATE

Et si tu les voyais différer à ce sujet, serait-ce la preuve pour toi qu'ils sont de mauvais maîtres ?

ALCIBIADE

Pour moi, oui.

SOCRATE

Eh bien maintenant, en ce qui concerne les hommes et les choses justes et injustes, la plupart des hommes te semblent-ils **[112a]** s'accorder entre eux ou avec les autres ?

ALCIBIADE

Par Zeus, Socrate, le moins possible.

SOCRATE

Et n'est-ce pas là-dessus qu'ils te semblent être surtout en désaccord ?

ALCIBIADE

En vérité souvent.

SOCRATE

Je ne pense pas du moins que tu aies vu ou entendu des hommes être en si grand désaccord au sujet de ce qui est sain ou non, au point de se battre et s'entretuer pour ces raisons.

ALCIBIADE

Certes non.

SOCRATE

Mais au sujet de ce qui est juste et injuste, c'est bien ce qui se passe, je le sais moi. Et **[112b]** même si tu n'en as pas été le témoin, tu l'as du moins entendu raconter de beaucoup de gens et d'Homère, car tu as entendu raconter l'*Odyssée* et l'*Iliade* [35].

ALCIBIADE

Absolument Socrate.

SOCRATE

Ces poèmes n'ont-ils pas pour sujet des différends sur des choses justes et injustes ?

ALCIBIADE

Oui.

SOCRATE

Et les combats et les morts qu'il y eut entre les Achéens et les Troyens, c'est à cause de ce désaccord, comme ce fut aussi le cas entre les prétendants de Pénélope et Ulysse.

ALCIBIADE

[112c] Tu dis vrai.

SOCRATE

Je pense aussi que c'est pour ces raisons qu'à Tanagra moururent certains des Athéniens, des Lacédémoniens et des Béotiens [36] ; et d'autres plus tard à

Coronée, parmi lesquels mourut ton père Clinias [37]. Et c'est seulement à cause des différends sur le juste et l'injuste qu'ont eu lieu ces morts et ces combats, n'est-ce pas ?

ALCIBIADE

Tu dis vrai.

SOCRATE

Dirons-nous donc que ces gens sont compétents dans les domaines au sujet desquels **[112d]** ils sont si durement en désaccord que, se contestant sur tout, ils en viennent eux-mêmes aux dernières extrémités ?

ALCIBIADE

Non, c'est évident.

SOCRATE

N'est-ce pas de ces maîtres, vers lesquels tu te tournes, que tu reconnais l'ignorance ?

ALCIBIADE

Je le suppose.

SOCRATE

Comment donc est-il vraisemblable que tu connaisses ce qui est juste et injuste alors que tu t'égares de cette manière, que tu ne sembles ne l'avoir appris de personne et que tu ne l'as pas trouvé par toi-même [38] ?

ALCIBIADE

D'après ce que tu dis, ce n'est pas vraisemblable.

SOCRATE

[112e] Vois-tu, Alcibiade, comme tu ne parles pas convenablement ?

ALCIBIADE

En quoi ?

SOCRATE

Parce que tu prétends que c'est moi qui tiens ces propos.

ALCIBIADE

Quoi donc ? N'est-ce pas toi qui dis que je ne sais pas ce qui est juste et ce qui est injuste ?

SOCRATE

Certainement non.

ALCIBIADE

Mais moi ?

SOCRATE

Bien sûr !

ALCIBIADE

Comment donc ?

SOCRATE

Réfléchis. Si, de un ou de deux, je te demande lequel de ces nombres est le plus grand, tu diras que c'est deux ?

ALCIBIADE

Pour moi, oui.

SOCRATE

De combien ?

ALCIBIADE

D'un.

SOCRATE

Lequel donc de nous deux dit que deux est plus grand d'un que un ?

ALCIBIADE

Moi.

SOCRATE

N'est-ce pas moi qui interroge et toi qui réponds ?

ALCIBIADE

Oui.

SOCRATE

[113a] Et au sujet de ces choses, celui qui s'exprime, est-ce moi qui interroge ou toi qui réponds ?

ALCIBIADE

C'est moi !

SOCRATE

Si je te demande encore quelles sont les lettres qui composent « Socrate » et que tu me le dises, qui le dit ?

ALCIBIADE

Moi.

SOCRATE

Allons donc, d'un mot : quand il y a question et réponse, lequel s'exprime, celui qui interroge ou celui qui répond ?

ALCIBIADE

Celui qui répond, me semble-t-il, Socrate [39].

SOCRATE

[113b] Tout à l'heure dans notre discussion, n'était-ce pas moi qui interrogeais ?

ALCIBIADE

Oui.

SOCRATE

Et toi qui répondais ?

ALCIBIADE

Parfaitement.

SOCRATE

Donc, lequel d'entre nous a dit ce qui a été dit ?

ALCIBIADE

Compte tenu de ce qui vient d'être admis, Socrate, c'est manifestement moi.

SOCRATE

N'a-t-il pas été dit au sujet de ce qui est juste et injuste que le bel Alcibiade, le fils de Clinias, ne savait pas, mais croyait savoir et était sur le point d'aller à l'assemblée pour donner des conseils aux Athéniens sur ce qu'il ignorait complètement ? N'était-ce pas cela ?

ALCIBIADE

[113c] C'est manifeste.

SOCRATE

Alors nous jouons du Euripide, Alcibiade [40]. Ces choses, il y a des chances que tu les aies entendues de toi et non pas de moi. Ce n'est pas moi qui dis cela, mais toi, et tu me l'imputes en vain. Certes tu parles vrai, car tu projettes de t'attaquer à une entreprise déraisonnable, très cher, celle d'enseigner ce que tu ne connais pas, ayant négligé de l'apprendre.

ALCIBIADE

Je pense, Socrate, **[113d]** que les Athéniens et les autres Grecs délibèrent rarement de ce qui est plus juste ou plus injuste ; ils pensent que ce sont là des évidences [41]. Ainsi, laissant ces considérations, ils examinent ce qu'il conviendra de faire. Je pense que les choses justes ne sont pas identiques aux choses avantageuses ; mais il a été avantageux au grand nombre de commettre de grandes injustices et pour d'autres, je crois, qui ont œuvré dans le juste, cela n'a pas été avantageux [42].

SOCRATE

Quoi donc ? Si les choses justes et les choses avantageuses sont des choses différentes, **[113e]** tu ne crois pas alors savoir ce qui est avantageux pour les hommes et pourquoi ?

ALCIBIADE

Quel empêchement y a-t-il Socrate ? À moins que tu ne me demandes encore de qui je l'ai appris ou comment je l'ai trouvé par moi-même.

SOCRATE

Comment agis-tu ! Si tu dis quelque chose qui ne soit pas convenable et qu'il soit possible de le démontrer par ce qui a été dit dans nos précédents discours, tu penses qu'il faut entendre je ne sais quelles autres nouvelles démonstrations, comme si les premières étaient des vêtements usés dont tu ne te vêtirais pas ? Il faut que quelqu'un t'apporte une preuve pure et sans souillure ? Je n'accepte pas **[114a]** les préambules de ton discours et je ne te demanderai rien de moins que d'où tu as appris à connaître l'avantageux, quel est ton maître, et je te demande en une seule question tout ce que je t'ai déjà demandé en premier. Mais il est évident que tu en viendrais à la même chose et que tu ne serais pas capable de démontrer que tu sais ce qui est avantageux en l'ayant trouvé, ni en l'ayant appris. Mais puisque tu es délicat et que tu ne goûterais pas avec plaisir le même discours, je renonce volontiers à savoir si tu sais ou non ce qui est avantageux pour les Athéniens. **[114b]** Mais les choses justes et les choses avantageuses sont-elles semblables ou différentes ? Pourquoi ne l'as-tu pas démontré, si tu le veux, en m'interrogeant comme je l'ai fait, ou sinon, en exposant toi-même en détail ton point de vue ?

ALCIBIADE

Mais je ne sais pas si j'en serais capable, Socrate.

SOCRATE

Mais, mon cher, pense que je suis l'assemblée du peuple. Là, il faudra bien que tu persuades [43] chacun un à un, n'est-ce pas ?

ALCIBIADE

Oui.

SOCRATE

N'est-il pas possible pour le même homme d'en persuader un autre isolément et plusieurs ensemble au sujet **[114c]** de ce qu'il saurait, comme le grammairien en persuade un comme plusieurs au sujet de l'alphabet ?

ALCIBIADE

Oui.

SOCRATE

Et sans doute aussi en ce qui concerne les chiffres, le même en persuadera un comme plusieurs ?

ALCIBIADE

Oui.

SOCRATE

Celui-ci sera celui qui sait, l'arithméticien ?

ALCIBIADE

Bien sûr.

SOCRATE

Et toi, ce dont tu es capable de persuader plusieurs, peux-tu en persuader un seul ?

ALCIBIADE

C'est ce qu'il semble.

SOCRATE

Évidemment, il s'agit de ce que tu sais.

ALCIBIADE

Oui.

SOCRATE

Qu'est-ce donc seulement qui distingue le rhéteur **[114d]** qui parle devant le peuple et celui qui le fait dans un entretien comme celui-ci, sinon que l'un persuade une foule et l'autre un individu à la fois ?

ALCIBIADE

Il se peut.

SOCRATE

Allons maintenant, puisqu'il semble que le même peut en persuader plusieurs et un seul, exerce-toi sur moi et efforce-toi de démontrer que le juste n'est pas toujours l'avantageux.

ALCIBIADE

Socrate, tu passes les bornes [44] !

SOCRATE

Ce qui est sûr toutefois, c'est qu'en restant dans la démesure, je vais te prouver le contraire de ce que tu ne veux pas me prouver.

ALCIBIADE

Parle donc.

SOCRATE

Réponds seulement à ce qui t'es demandé.

ALCIBIADE

Non, **[114e]** parle toi-même !

SOCRATE

Eh quoi ? Ne souhaites-tu pas être persuadé le mieux possible ?

ALCIBIADE

Bien sûr, je souhaite l'être entièrement.

SOCRATE

Si tu dis qu'il en est bien ainsi, serais-tu persuadé le mieux possible ?

ALCIBIADE

Il me semble.

SOCRATE

Alors réponds. Et si tu n'entends pas de toi-même que le juste est l'avantageux, ne le crois pas d'un autre qui te le dirait.

ALCIBIADE

Certes non, mais il faut que je réponde, et je ne crois pas que je serai embarrassé en quoi que ce soit.

SOCRATE

Tu es en effet un vrai devin. **[115a]** Dis-moi : parmi les choses justes, dirais-tu qu'il y en a certaines qui sont avantageuses, d'autres non ?

ALCIBIADE

Oui.

SOCRATE

Y en a-t-il aussi qui sont belles et d'autres non ?

ALCIBIADE

Pourquoi poses-tu cette question ?

SOCRATE

Je te demande si, selon toi, quelqu'un peut faire des choses laides mais justes.

ALCIBIADE

Pour moi, non.

SOCRATE

Mais tout ce qui est juste est également beau.

ALCIBIADE

Oui.

SOCRATE

Maintenant, pour les choses belles, sont-elles toutes bonnes, ou bien certaines et d'autres pas ?

ALCIBIADE

Pour ma part, Socrate, je pense que certaines belles choses sont mauvaises.

SOCRATE

Et aussi qu'il y a des choses laides **[115b]** qui sont bonnes ?

ALCIBIADE

Oui.

SOCRATE

Que dis-tu là ? Est-ce comme de nombreux soldats qui ont été blessés à la guerre ou sont morts pour avoir porté secours à un ami ou à un parent, alors que d'autres, qui n'ont pas porté secours quand ils l'auraient dû, s'en sont tirés sains et saufs ?

ALCIBIADE

En effet, absolument.

SOCRATE

Dis-tu donc d'un tel secours qu'il est beau parce qu'on a entrepris de sauver ceux qu'il fallait sauver ? C'est là du courage, oui ou non [45] ?

ALCIBIADE

Oui.

SOCRATE

Et il est mauvais par ailleurs à cause des morts et des blessures qu'il entraîne, n'est-ce pas ?

ALCIBIADE

Oui.

SOCRATE

Mais le courage [115c] n'est-ce pas une chose, et la mort une autre ?

ALCIBIADE

Assurément.

SOCRATE

Le secours porté à ses amis n'est-il pas beau et mauvais sous le même rapport ?

ALCIBIADE

Il ne semble pas.

SOCRATE

Vois alors, selon le même raisonnement, si ce secours, qui est beau, est bon aussi. Car en ce qui concerne le courage, tu reconnais que le secours porté est beau ; demande-toi donc si le courage est bon ou mauvais. Réfléchis ainsi : qu'attendrais-tu ? De bonnes choses ou bien de mauvaises ?

ALCIBIADE

De bonnes.

SOCRATE

[115d] Les meilleures ?

ALCIBIADE

Bien sûr [46].

SOCRATE

Et c'est de telles choses dont tu attendrais le moins d'être privé ?

ALCIBIADE

Évidemment.

SOCRATE

Donc, comment parles-tu du courage ? Dans quelle mesure accepterais-tu d'en être privé ?

ALCIBIADE

Je n'accepterais pas de vivre.

SOCRATE

La lâcheté te semble donc le plus extrême des maux ?

ALCIBIADE

Bien sûr.

SOCRATE

À l'égal de la mort, semble-t-il ?

ALCIBIADE

Je l'affirme.

SOCRATE

Le plus à l'opposé de la mort et de la lâcheté, c'est la vie et le courage ?

ALCIBIADE

Oui.

SOCRATE

Est-ce cela **[115e]** que tu voudrais à tout prix posséder, et le reste à aucun prix ?

ALCIBIADE

Oui.

SOCRATE

Tu penses donc que le courage appartient aux meilleures choses et la mort aux pires [47] ?

ALCIBIADE

Certes.

SOCRATE

Secourir ses amis à la guerre, as-tu qualifié cette action de belle selon qu'elle était belle parce qu'elle réalisait le bien qu'est le courage ?

ALCIBIADE

Oui, manifestement.

SOCRATE

Mais comme réalisation du mal qu'est la mort, la qualifies-tu de mauvaise ?

ALCIBIADE

Oui.

SOCRATE

Ainsi, il est juste de qualifier chacune de nos actions. Si tu la nommes mauvaise selon qu'elle produit du mal [48], tu dois la nommer bonne **[116a]** selon qu'elle produit du bien.

ALCIBIADE

C'est ce qu'il me semble.

SOCRATE

Donc, selon qu'elle est bonne, elle est belle, et selon qu'elle est mauvaise, elle est laide.

ALCIBIADE

Oui.

SOCRATE

En disant que le secours apporté à ses amis à la guerre est beau, mais aussi mauvais, tu ne dis rien de différent que si tu disais qu'il était bon mais aussi mauvais.

ALCIBIADE

Tu me sembles parler vrai Socrate.

SOCRATE

Alors, rien de ce qui est beau, selon la qualité du beau, n'est mauvais, et rien de ce qui est laid, selon sa qualité de laid, n'est bon [49].

ALCIBIADE

[116b] Il ne semble pas.

SOCRATE

Il y a encore quelque chose à examiner : celui qui fait une belle action, n'agit-il pas aussi bien [50] ?

ALCIBIADE

Oui.

SOCRATE

Et ceux qui agissent bien, ne sont-ils pas heureux ?

ALCIBIADE

Comment pourrait-il en être autrement ?

SOCRATE

Ils sont donc heureux grâce à l'acquisition de choses bonnes ?

ALCIBIADE

Évidemment.

SOCRATE

Et ils les acquièrent en faisant aussi de belles actions ?

ALCIBIADE

Oui.

SOCRATE

Alors, bien agir est bon ?

ALCIBIADE

Sans aucun doute.

SOCRATE

La bonne action est donc une belle chose [51] ?

ALCIBIADE

Oui.

SOCRATE

[116c] Il nous est alors de nouveau apparu que le beau et le bon sont la même chose.

ALCIBIADE

C'est ce qu'il semble.

SOCRATE

Donc, ce que nous avons trouvé beau, nous le trouverons aussi bon à partir de ce même raisonnement.

ALCIBIADE

Nécessairement.

SOCRATE

Eh quoi ? Ce qui est bon est-il avantageux ou non ?

ALCIBIADE

Il est avantageux.

SOCRATE

Et te souviens-tu comment nous nous étions mis d'accord sur ce qui était juste ?

ALCIBIADE

Je crois que ceux qui font des actions justes font nécessairement de belles actions.

SOCRATE

Et aussi que ceux qui en font de belles en font de bonnes ?

ALCIBIADE

Oui.

SOCRATE

[116d] Et les bonnes choses sont avantageuses ?

ALCIBIADE

Oui.

SOCRATE

De sorte, Alcibiade, que les choses justes sont avantageuses.

ALCIBIADE

Il me semble.

SOCRATE

Et alors, ces propos, n'est-ce pas toi qui les tiens et moi qui interroge ?

ALCIBIADE

C'est ce qu'il apparaît, je crois.

SOCRATE

Donc, si quelqu'un se lève pour donner un conseil soit aux Athéniens, soit aux habitants de Péparèthe [52], croyant connaître ce qui est juste et ce qui ne l'est pas et qu'il dise que les choses justes sont parfois mauvaises, que ferais-tu d'autre que de te moquer de lui, puisque toi aussi tu affirmes que **[116e]** les choses justes et avantageuses sont identiques ?

ALCIBIADE

Mais par les dieux, Socrate, je ne sais plus ce que je dis, mais il me semble avoir un comportement absolument étrange. Car quand tu m'interroges, tantôt je crois dire une chose, tantôt une autre.

SOCRATE

Et ce trouble, mon cher, ignores-tu ce qu'il est ?

ALCIBIADE

Absolument.

SOCRATE

Penses-tu que si quelqu'un te demandait si tu as deux ou trois yeux, deux ou quatre mains ou quelque autre chose de ce genre, tu répondrais tantôt une chose, tantôt une autre ou toujours la même chose ?

ALCIBIADE

Je finis par **[117a]** craindre de me tromper aussi à mon sujet, mais je crois que je répondrais la même chose.

SOCRATE

N'est-ce pas parce que tu le sais ? N'en est-ce pas la raison [53] ?

ALCIBIADE

Oui, je le crois.

SOCRATE

Alors, ces choses à propos desquelles tu fais, malgré toi, des réponses contradictoires, il est évident que tu ne les connais pas.

ALCIBIADE

C'est vraisemblable.

SOCRATE

Et en ce qui concerne le juste et l'injuste, le beau et le laid, le bien et le mal, l'avantageux et le désavantageux, tu dis t'égarer dans tes réponses ? N'est-il donc pas évident que c'est parce que tu ne les connais pas que tu t'égares ?

ALCIBIADE

[117b] Certainement.

SOCRATE

Est-ce donc ainsi ? Lorsque quelqu'un ne connaît pas quelque chose, son âme s'égare nécessairement [54] ?

ALCIBIADE

Comment non ?

SOCRATE

Quoi donc ? Sais-tu de quelle manière tu pourrais escalader le ciel ?

ALCIBIADE

Par Zeus, non.

SOCRATE

Ton opinion s'égare-t-elle aussi à ce sujet ?

ALCIBIADE

Certes non.

SOCRATE

En connais-tu la raison ou bien vais-je te l'expliquer ?

ALCIBIADE

Explique-le.

SOCRATE

Parce que, cher ami, tu ne crois pas le savoir tout en ne le sachant pas.

ALCIBIADE

[117c] Que dis-tu là ?

SOCRATE

Voyons ensemble. Ce que tu ne sais pas, mais dont tu sais que tu ne le sais pas, t'égares-tu à ce sujet ? Par exemple en ce qui concerne la préparation des repas, tu sais évidemment que tu n'y connais rien.

ALCIBIADE

Absolument.

SOCRATE

À ce sujet, as-tu de toi-même une idée sur la manière dont il faut faire cette préparation, ou bien t'en remets-tu à celui qui s'y connaît ?

ALCIBIADE

Je fais ainsi.

SOCRATE

Et si tu naviguais sur un bateau, aurais-tu une opinion sur la manière de diriger le gouvernail en dehors ou en dedans, et, faute de le savoir, **[117d]** t'égarerais-tu ou bien t'en remettrais-tu en toute tranquillité au pilote [55] ?

ALCIBIADE

Je m'en remettrais au pilote.

SOCRATE

Donc, au sujet de ce que tu ne sais pas, tu ne t'égares pas si tu sais que tu ne sais pas.

ALCIBIADE

Non, sans doute.

SOCRATE

Remarques-tu donc que les erreurs dans l'action sont causées par cette ignorance qui est de croire savoir ce que l'on ne sait pas ?

ALCIBIADE

Que dis-tu là ?

SOCRATE

Nous entreprenons une action lorsque nous croyons savoir ce que nous faisons ?

ALCIBIADE

Oui.

SOCRATE

Lorsque l'on ne croit pas **[117e]** savoir, on s'en remet à d'autres ?

ALCIBIADE

Pourquoi en ferait-on autrement ?

SOCRATE

De même, de tels ignorants sont sauvés parce qu'ils s'en remettent à d'autres pour ce qu'ils ignorent [56] ?

ALCIBIADE

Oui.

SOCRATE

Qui sont donc les ignorants ? Certes pas ceux qui savent.

ALCIBIADE

Assurément pas.

SOCRATE

Puisque ce ne sont ni ceux qui savent, ni ceux des ignorants qui savent qu'ils ne savent pas, que reste-t-il d'autre **[118a]** sinon ceux qui croient savoir ce qu'ils ne savent pas [57] ?

ALCIBIADE

Ce sont ceux-là.

SOCRATE

C'est cette ignorance qui est la cause de ce qui est mal, c'est elle qui est répréhensible ?

ALCIBIADE

Oui.

SOCRATE

Et c'est lorsque les sujets sont les plus importants qu'elle est la plus malfaisante et la plus honteuse ?

ALCIBIADE

De beaucoup.

SOCRATE

Eh quoi ? Peux-tu parler de choses plus importantes que le juste, le beau, le bon et l'avantageux ?

ALCIBIADE

Certes non.

SOCRATE

N'est-ce pas à ce sujet que tu prétends t'égarer ?

ALCIBIADE

Oui.

SOCRATE

Et si tu t'égares, n'est-il pas évident d'après le raisonnement précédent que c'est parce que tu ignores les choses **[118b]** les plus importantes, mais aussi que tu crois les connaître tout en ne les connaissant pas ?

ALCIBIADE

C'est le risque.

SOCRATE

Vraiment, Alcibiade, quel trouble que le tien ! J'hésite à le nommer, mais puisque nous sommes seuls, il faut en convenir : tu cohabites avec l'ignorance la plus extrême. Ce sont ton propre discours et toi-même qui t'accusent. C'est pourquoi tu te précipites vers la politique avant d'être éduqué. Tu n'es pas le seul à souffrir de ce mal, mais c'est le cas de la plupart de ceux qui gèrent les affaires de la cité, sauf quelques-uns et peut-être **[118c]** ton tuteur Périclès.

ALCIBIADE

D'après ce qu'on dit, Socrate, ce n'est pas de lui-même qu'il est devenu savant, mais il a fréquenté de nombreux savants, comme Pythoclide, Anaxagore et, maintenant encore à son âge, il fréquente Damon pour cette même raison [58].

SOCRATE

Quoi donc ? As-tu déjà vu quelqu'un de savant dans un domaine quelconque incapable de rendre un autre savant dans son propre domaine ? Ainsi celui qui t'a appris tes lettres d'alphabet était lui-même savant et t'a rendu savant, comme tout autre s'il le voulait. N'est-ce pas ?

ALCIBIADE

Oui.

SOCRATE

[118d] Et toi qui l'as appris de celui-ci, serais-tu capable de l'apprendre à un autre ?

ALCIBIADE

Oui.

SOCRATE

De même le cithariste et le pédotribe ?

ALCIBIADE

Absolument.

SOCRATE

Une bonne preuve en effet pour ceux qui ont un savoir quelconque de ce qu'ils savent, c'est qu'ils soient capables de transmettre ce savoir à un autre [59].

ALCIBIADE

C'est ce qu'il me semble.

SOCRATE

Eh bien, peux-tu me dire qui Périclès a rendu savant, à commencer par ses fils ?

ALCIBIADE

Quelle question, Socrate, ses deux fils **[118e]** ont été stupides [60] !

SOCRATE

Mais Clinias, ton frère ?

ALCIBIADE

Tu parlerais de Clinias, un fou [61] !

SOCRATE

Alors, puisque Clinias est fou et que les fils de Périclès sont des idiots, quelle raison pourrions-nous trouver pour qu'il te néglige de cette manière ?

ALCIBIADE

C'est moi, je crois, qui en suis responsable ; je ne prête pas attention à ce qu'il pense.

SOCRATE

Mais parmi les **[119a]** autres Grecs ou les étrangers, qu'il soit libre ou esclave, cite quelqu'un qui soit devenu plus savant grâce à la fréquentation de

Périclès [62], comme moi je peux te citer Pythodore [63], fils d'Isoloque, qui devint plus savant grâce à la fréquentation de Zénon, et encore Callias [64], le fils de Calliadès, qui, l'un et l'autre au prix de cent mines versées à Zénon, sont devenus savants et renommés [65].

ALCIBIADE

Par Zeus, je ne le peux pas.

SOCRATE

Soit ! Alors que projettes-tu pour toi-même ? Veux-tu rester comme maintenant ou bien prendre quelque soin [66] ?

ALCIBIADE

Qu'on en décide ensemble, **[119b]** Socrate. Mais je réfléchis à ce que tu m'as dit et je suis d'accord : nos hommes politiques, à part quelques-uns, me semblent dépourvus d'éducation.

SOCRATE

Et que fais-tu de cela ?

ALCIBIADE

S'ils étaient éduqués, il faudrait que celui qui entreprend de rivaliser avec eux se soit instruit et exercé pour les affronter, comme des athlètes. Mais puisqu'ils sont venus aux affaires de la cité sans préparation, est-il besoin de s'exercer et de chercher à apprendre ? Car, pour moi, je sais bien que, par mes **[119c]** aptitudes naturelles [67], je leur serai bien supérieur.

SOCRATE

Vraiment, très cher, qu'as-tu dit là ? Comme c'est indigne de ton aspect [68] et de tes autres qualités !

ALCIBIADE

Qu'entends-tu par là, Socrate, et quelles sont tes intentions ?

SOCRATE

Je m'indigne pour toi et pour l'amour que je te porte.

ALCIBIADE

De quoi donc ?

SOCRATE

De ce que tu te satisfasses de concourir contre les gens d'ici.

ALCIBIADE

Mais contre qui dois-je concourir ?

SOCRATE

Cette question est-elle digne d'un homme qui croit avoir de la grandeur d'âme ?

ALCIBIADE

Comment ? **[119d]** Ce n'est pas contre eux que je me bats ?

SOCRATE

Et si tu projetais de gouverner une trière [69] prête à combattre, te suffirait-il d'être le meilleur pilote de l'équipage ? Ne penserais-tu pas que cela doit être acquis, et ne te tournerais-tu pas vers tes véritables adversaires plutôt que vers tes compagnons d'armes, comme tu le fais maintenant ? À ceux-ci tu dois sans aucun doute être tellement supérieur qu'ils ne puissent mériter de rivaliser avec toi mais, traités avec mépris, ils doivent t'aider contre tes **[119e]** ennemis si tu projettes de mener une action [70] vraiment belle, digne de toi et de la cité.

ALCIBIADE

Mais c'est justement là mon projet.

SOCRATE

Est-il donc parfaitement digne de toi de te satisfaire d'être meilleur que nos soldats et de ne pas regarder vers les chefs de nos adversaires pour voir si tu peux être meilleur qu'eux [71], en les observant et en t'exerçant à les imiter ?

ALCIBIADE

Qui sont-ils ? Dis-le moi **[120a]** Socrate.

SOCRATE

Ne sais-tu pas que notre cité est à toute occasion en guerre contre les Lacédémoniens ou le Grand roi [72] ?

ALCIBIADE

Tu dis la vérité.

SOCRATE

Si tu as en tête d'être le chef de cette cité, pense bien qu'il faudra combattre contre les rois de Lacédémone et contre celui des Perses [73].

ALCIBIADE

Il se peut que tu dises la vérité.

SOCRATE

Eh non, mon cher, c'est Midias, l'éleveur de cailles [74], qu'il te faut regarder **[120b]** et avec lui tous les autres qui entreprennent de s'occuper des affaires de la cité en ayant encore dans l'âme, comme diraient les femmes, leur coiffure d'esclave [75], tout grossiers qu'ils sont restés : parlant encore comme des Barbares, ils sont venus pour flatter la cité et non pour la gouverner. C'est vers ceux-là, dont précisément je te parle, qu'il faut te tourner. Garde ton insouciance, sans rien apprendre de ce qu'il y a à apprendre, alors que tu dois t'engager dans un combat d'une si grande importance, sans t'exercer à ce qui demande de l'exercice, et sans te préparer **[120c]** entièrement comme il faut être préparé pour aborder les affaires de la cité.

ALCIBIADE

Socrate, il me semble que tu dis vrai, mais je crois que les chefs des Lacédémoniens et le roi de Perse ne diffèrent en rien des autres.

SOCRATE

Mais examine, mon cher, l'opinion qui est la tienne.

ALCIBIADE

À quel propos ?

SOCRATE

D'abord, penses-tu que tu prendrais plus soin de toi-même si tu les craignais **[120d]** et si tu les jugeais dangereux ?

ALCIBIADE

Évidemment oui, si je les pensais dangereux.

SOCRATE

Et penses-tu que cela te nuirait de prendre soin de toi-même ?

ALCIBIADE

Absolument pas et cela me serait grandement profitable.

SOCRATE

Ton jugement est donc un vrai préjudice pour toi.

ALCIBIADE

Tu dis la vérité.

SOCRATE

Et deuxièmement, il est faux et examine-le d'après le vraisemblable.

ALCIBIADE

Comment ?

SOCRATE

Est-il vraisemblable que les meilleures natures se trouvent dans les races **[120e]** nobles, oui ou non ?

ALCIBIADE

Évidemment dans ce qui est de noble race.

SOCRATE

Et que ceux qui sont bien nés, s'ils sont toujours bien élevés [76], arrivent finalement à l'excellence ?

ALCIBIADE

Nécessairement.

SOCRATE

Maintenant, examinons d'abord si, nous comparant à eux, les rois des Lacédémoniens et des Perses semblent être de race inférieure. Ne savons-nous pas que les uns descendent d'Héraclès et les autres d'Achéménès, et que la descendance d'Héraclès et d'Achéménès remonte à Persée, fils de Zeus [77] ?

ALCIBIADE

[121a] Et la nôtre, Socrate, à Eurysakès qui descend de Zeus [78].

SOCRATE

Et la nôtre, noble Alcibiade, à Dédale, qui descend d'Hephaïstos, fils de Zeus [79]. Mais leur descendance, en commençant par eux-mêmes, n'est faite que de rois, en remontant jusqu'à Zeus : les uns rois d'Argos [80] et de Lacédémone, quand les autres ont toujours régné sur la Perse et souvent aussi sur l'Asie, comme aujourd'hui. Tandis que nous, nous ne sommes que de simples particuliers, et nos pères aussi [81]. Mais s'il te fallait faire valoir tes **[121b]** ancêtres (ou Salamine, patrie d'Eurysakès, ou Égine, patrie de son ancêtre Ajax [82]) auprès d'Artaxerxès, fils de Xerxès [83], songes-tu à quelle risée tu te condamnerais ? Mais veille à ce que nous ne soyons inférieurs ni selon la majesté de la race ni selon la formation [84]. Ne t'es-tu pas aperçu de ce qu'est la grandeur des rois lacédémoniens, dont les femmes sont mises officiellement [85] sous la surveillance des éphores [86], pour empêcher autant qu'on le peut qu'un roi naisse en cachette d'un autre sang que celui des Héraclides [87] ? Quant au roi des Perses **[121c]**, il l'emporte à ce point que personne ne peut soupçonner qu'un roi puisse être issu d'un autre que d'un roi. C'est pourquoi la femme du roi n'est gardée par rien d'autre que par la peur [88]. Lorsque naît l'enfant aîné, l'héritier, tous les sujets du royaume célèbrent des fêtes ; et les années suivantes, ce même jour, l'Asie célèbre par des sacrifices et des fêtes l'anniversaire du roi. Mais à notre naissance à nous, **[121d]** comme le dit le poète comique, c'est à peine si les voisins s'aperçoivent de quelque chose [89]. Ensuite, l'enfant est nourri, non pas par une nourrice de peu d'importance, mais par des eunuques qui passent pour être les meilleurs dans l'entourage du roi [90]. Il leur est prescrit de donner tous les autres soins au nouveau-né, de faire en sorte qu'il soit le plus beau possible, modelant et redressant le corps de l'enfant ; et ils sont tenus dans une grande estime pour cette charge. Lorsque les enfants arrivent à leur septième année, ils fréquentent les maîtres d'équitation **[121e]** et les chevaux, et commencent à aller à la chasse. Lorsqu'il arrive à deux fois sept ans, l'enfant est confié à ceux que l'on nomme les gardiens royaux. Choisis parmi les Perses dans la force de l'âge, au nombre de quatre, ce sont ceux qui ont paru les meilleurs, le plus savant, le plus juste, le plus tempérant et le plus courageux [91]. **[122a]** Le premier enseigne la religion des mages, celle de Zoroastre, fils d'Horomasde [92] : il s'agit en fait du culte des dieux [93]. Il enseigne aussi l'art de régner. Le plus juste lui apprend à dire la vérité toute sa vie, le plus tempérant à n'être soumis à aucun plaisir, afin qu'il s'accoutume à être libre et réellement roi, commandant d'abord à lui-même, sans aucun asservissement. Le plus courageux le prépare à être intrépide et audacieux, montrant que la crainte est le propre de l'esclave. Quant à toi, Alcibiade, Périclès t'a donné comme pédagogue **[122b]** le plus incapable de ses esclaves du fait de sa vieillesse, Zôpyre le Thrace [94]. Je pourrais t'exposer en détail tout ce qui concerne la formation et l'éducation de nos rivaux, si ce n'était pas une trop longue tâche. En même temps, cet exposé est suffisant pour te montrer tout ce qui s'ensuit. Mais, Alcibiade, personne ne se soucie de ta naissance, de ta formation et de ton éducation, ni de celles d'aucun autre Athénien pour ainsi dire, si ce n'est ton amoureux. Mais si à nouveau tu voulais regarder les richesses, **[122c]** le luxe, les vêtements, les manteaux qui traînent, l'usage des parfums, les cortèges innombrables des serviteurs et toutes les délicatesses des Perses, tu serais honteux de ta condition, si inférieure à la leur. Et si à nouveau tu voulais regarder la tempérance, le sens de l'ordre, l'aménité, l'humeur facile, la fierté, la discipline, le courage, la force d'âme, l'amour du travail, de la victoire et de l'honneur des Lacédémoniens, tu penserais être un enfant en comparaison [95]. Et si tu t'attaches à la richesse, si tu penses être quelque chose à cet égard, n'hésitons pas à en parler, si tu veux te rendre compte de ce que tu es. En effet, **[122d]** si tu veux considérer les richesses des Lacédémoniens, sache que les nôtres sont bien inférieures aux leurs. En effet, il n'y a pas de contestation possible sur les territoires qu'ils possèdent chez eux comme en Messénie, sur leur étendue et leur fertilité, sur le nombre d'esclaves qu'ils possèdent, d'hilotes [96] et de chevaux, ni sur tous les troupeaux qu'ils élèvent **[122e]** en Messénie [97]. Mais laissons cela de côté ; par ailleurs pour ce qui est de l'or et de l'argent, il n'y en a pas autant chez tous les Grecs que chez chaque Lacédémonien en particulier. Car depuis de nombreuses générations, il en arrive là de toute la Grèce et souvent des pays barbares. Et il n'en sort jamais [98], mais c'est comme ce que dit le renard au lion dans la fable d'Ésope **[123a]** : les traces de l'argent qui entre à Lacédémone, celles qui se sont dirigées par là sont bien visibles alors qu'on n'en verrait aucune qui en sorte [99]. Ainsi on est bien obligé de voir que ces gens-là sont les plus riches des Grecs en or et en argent, et leur roi le plus riche de ceux-là. Car sur un tel trésor, les prélèvements les plus importants et les plus nombreux sont pour les rois ; il faut aussi ajouter le tribut royal versé par les Lacédémoniens au roi, **[123b]** qui n'est pas moindre [100]. Les richesses des Lacédémoniens sont grandes comparées à celles des Grecs, mais elles ne sont rien si on les compare à celles des Perses et de leur roi. J'ai entendu dire, d'un homme digne de foi qui a fréquenté la cour du roi, qu'il avait traversé durant une marche d'environ un jour, un territoire grand et fertile que ses habitants appelaient « la ceinture de la reine ». Il y en avait un autre qui était appelé son « voile », et de nombreuses autres régions encore, **[123c]** belles et fertiles, attribuées à ses parures, chacune portant les noms de chacun de ses ornements. Ainsi, d'après moi, si l'on demandait à la mère du roi, Amestris, la femme de Xerxès : celui qui a en tête de rivaliser avec ton fils, c'est le fils de Dinomachè, dont la parure se monte peut-être tout au plus à cinquante mines, et possédant lui-même une terre de moins de trois cent plèthres [101], elle se demanderait avec étonnement sur quoi compte cet **[123d]** Alcibiade pour envisager de rivaliser avec Artaxerxès. Je pense qu'elle répondrait que cet homme ne peut compter que sur le soin qu'il porte à ce qu'il fait et sur le savoir, car ce sont les seules qualités dignes de considération chez les Grecs. Mais si elle apprenait que cet Alcibiade entreprend maintenant ce projet, alors qu'il n'a pas encore tout à fait vingt ans, qu'ensuite il est dénué de toute éducation et qu'en outre, lorsque son amoureux lui dit qu'il doit d'abord s'instruire, prendre soin de lui-même et s'exercer avant d'aller rivaliser **[123e]** avec le roi, il s'y refuse et prétend prendre l'initiative du combat tel qu'il est, je pense qu'elle s'étonnerait et dirait : « Enfin, sur quoi donc compte ce petit jeune homme ? » Et si nous disons que c'est sur sa beauté, sa taille, sa naissance, sa richesse et la nature de son âme, elle nous penserait fous à la considération de leurs avantages. Lampido, fille de Léotychidès, **[124a]** femme d'Archidamos et mère d'Agis [102], s'étonnerait elle aussi en considérant tous les avantages des siens, que tu aies en tête de rivaliser avec son fils, aussi mal élevé que tu es. Vraiment, ne semble-t-il pas honteux que les femmes de nos ennemis jugent mieux de nous que nous-mêmes, des qualités qu'il nous faut pour entreprendre quoi que ce soit contre eux ? Mais, très cher, laisse-toi convaincre par moi et l'inscription de Delphes **[124b]** CONNAIS-TOI TOI-MÊME [103] que ce sont eux tes rivaux et non pas ceux que tu crois. Et nous ne pouvons l'emporter sur eux par rien d'autre que par le soin et par la technique [104]. Si tu te prives de ces choses, tu te priveras aussi d'un nom chez les Grecs et chez les Barbares, ce que tu me sembles désirer comme personne au monde.

ALCIBIADE

Mais à quoi faut-il s'appliquer avec soin, Socrate ? Peux-tu me l'expliquer ? Il me semble qu'il y a dans ce que tu dis plus de vérité que nulle part ailleurs.

SOCRATE

Oui, mais c'est ensemble que nous devons chercher de quelle manière nous pourrions **[124c]** devenir meilleurs [105] ; en effet, ce que je dis de la nécessité d'être éduqué s'adresse aussi bien à moi qu'à toi. Il n'y a qu'un point par lequel je diffère de toi.

ALCIBIADE

Lequel ?

SOCRATE

Mon tuteur est meilleur et plus savant que Périclès, le tien.

ALCIBIADE

De qui s'agit-il donc, Socrate ?

SOCRATE

D'un dieu, Alcibiade, celui-là même qui jusqu'à maintenant ne me permettait pas de m'entretenir avec toi ; c'est la foi que j'ai en lui qui me fait dire qu'il ne se manifestera à toi que par moi [106].

ALCIBIADE

Tu plaisantes **[124d]** Socrate.

SOCRATE

Peut-être. Mais je dis toutefois vrai en affirmant que nous avons besoin de prendre du soin, comme tous les hommes certes, mais plus encore nous deux.

ALCIBIADE

En ce qui me concerne, tu ne te trompes pas.

SOCRATE

Ni en ce qui me concerne.

ALCIBIADE

Alors, que pourrions-nous faire ?

SOCRATE

Ni renoncer ni fléchir, mon ami.

ALCIBIADE

Non certes, Socrate, il ne le faut pas.

SOCRATE

Non en effet, mais il nous faut examiner la chose ensemble. Mais dis-moi, nous affirmons que nous voulons devenir les meilleurs possible, **[124e]** c'est bien cela ?

ALCIBIADE

Oui.

SOCRATE

De quelle excellence s'agit-il ?

ALCIBIADE

Évidemment de celle des hommes bons.

SOCRATE

Bons sous quel aspect ?

ALCIBIADE

Dans la pratique de leurs affaires.

SOCRATE

Lesquelles ? Des affaires de cavalerie ?

ALCIBIADE

Bien sûr que non.

SOCRATE

Car alors nous nous adresserions à des cavaliers [107] ?

ALCIBIADE

Oui.

SOCRATE

S'agit-il alors d'affaires nautiques ?

ALCIBIADE

Non.

SOCRATE

Car alors nous nous adresserions à des marins ?

ALCIBIADE

Oui.

SOCRATE

Mais alors de quelles affaires s'agit-il ? Quels sont ceux qui les pratiquent ?

ALCIBIADE

Ce sont les Athéniens beaux et bons.

SOCRATE

[125a] Appelles-tu beaux et bons les hommes réfléchis [108] ou ceux qui ne le sont pas ?

ALCIBIADE

Les hommes réfléchis.

SOCRATE

Et chaque homme est-il bon parce qu'il est réfléchi ?

ALCIBIADE

Oui.

SOCRATE

Et l'homme dépourvu de réflexion est-il mauvais ?

ALCIBIADE

Comment pourrait-il en être autrement ?

SOCRATE

Le cordonnier n'est-il donc pas celui qui est réfléchi pour fabriquer des chaussures ?

ALCIBIADE

Bien sûr.

SOCRATE

Et il est bon à cet égard ?

ALCIBIADE

Il l'est.

SOCRATE

Mais pour fabriquer des vêtements, le cordonnier n'est-il pas dépourvu de réflexion ?

ALCIBIADE

Si.

SOCRATE

À cet égard, il est donc mauvais ?

ALCIBIADE

Oui.

SOCRATE

Selon ce raisonnement, **[125b]** le même homme est donc à la fois bon et mauvais.

ALCIBIADE

C'est ce qu'il semble.

SOCRATE

Dis-tu alors que les hommes bons sont aussi mauvais ?

ALCIBIADE

Certes non.

SOCRATE

Mais alors, quels sont ceux que tu appelles bons ?

ALCIBIADE

J'appelle ainsi ceux qui ont la capacité de commander dans la cité.

SOCRATE

Et non de commander à des chevaux ?

ALCIBIADE

Certes non.

SOCRATE

Mais à des hommes ?

ALCIBIADE

Oui.

SOCRATE

À des hommes malades ?

ALCIBIADE

Non.

SOCRATE

À des hommes qui naviguent ?

ALCIBIADE

Non, je ne parle pas de ceux-là.

SOCRATE

À des hommes qui moissonnent ?

ALCIBIADE

Non.

SOCRATE

Alors, à des hommes qui ne font rien ou bien qui font quelque chose ?

ALCIBIADE

Je parle de ceux qui font **[125c]** quelque chose.

SOCRATE

Mais quoi ? Essaie de me l'expliquer.

ALCIBIADE

Il s'agit de ceux qui traitent les uns avec les autres et qui sont en relation avec d'autres hommes ; de ceux qui, comme nous, vivent dans des cités.

SOCRATE

Tu parles donc de commander à des hommes qui sont en relation avec d'autres hommes ?

ALCIBIADE

Oui.

SOCRATE

Comme les chefs des rameurs sont en relation avec les rameurs ?

ALCIBIADE

Certes non.

SOCRATE

Parce que c'est là l'excellence de la technique du pilote ?

ALCIBIADE

Oui.

SOCRATE

Parles-tu alors de commander à des hommes qui jouent de la flûte, qui dirigent des chanteurs et emploient des choreutes [109] ?

ALCIBIADE

Certes non.

SOCRATE

[125d] Car c'est là l'excellence de la technique du chef de chœur ?

ALCIBIADE

Bien sûr.

SOCRATE

Mais alors, qu'appelles-tu commander à des hommes qui sont en relation avec d'autres hommes ?

ALCIBIADE

Je parle des hommes qui ont en partage une même constitution et qui se réunissent les uns avec les autres ; voilà ceux auxquels il s'agit de commander dans la cité.

SOCRATE

De quelle technique s'agit-il ? C'est comme si je te demandais de nouveau, reprenant l'exemple précédent, quelle est la technique qui permet de commander à des hommes qui ont en partage la conduite d'un navire ?

ALCIBIADE

C'est la technique du pilote.

SOCRATE

Et ceux qui ont en partage le chant, ceux dont on vient de parler, **[125e]** quelle est la science qui permet de leur commander ?

ALCIBIADE

Celle que tu viens de nommer : la technique du chef de chœur.

SOCRATE

Soit, mais comment appelles-tu la science relative à ceux qui ont une constitution en partage ?

ALCIBIADE

Je l'appelle le bon conseil [110], Socrate.

SOCRATE

Soit. La technique des pilotes te semble-t-elle n'être qu'imprudence [111] ?

ALCIBIADE

Certes non.

SOCRATE

De bon conseil alors ?

ALCIBIADE

C'est ce qu'il me semble, **[126a]** si elle doit garder sains et saufs ceux qui naviguent.

SOCRATE

Tu dis vrai. Mais, ce bon conseil dont tu parles, à quoi est-il destiné ?

ALCIBIADE

À permettre une meilleure administration de la cité et sa sauvegarde.

SOCRATE

Et quelle est la chose dont la présence ou l'absence fait qu'elle est mieux administrée ? C'est comme si tu me demandais : « Quelle est la chose dont la présence ou l'absence permet une meilleure administration du corps et sa sauvegarde ? » ; je te répondrais que c'est la présence de la santé et l'absence de la maladie. Ne penses-tu pas que c'est ainsi [112] ?

ALCIBIADE

[126b] Si.

SOCRATE

Et si tu me demandais : « Quelle est la chose dont la présence rend les yeux meilleurs ? », je te répondrais de même : la présence de la vue et l'absence de la cécité. Et de même encore pour les oreilles que l'absence de la surdité et la présence de l'ouïe sont ce qu'il y a de mieux pour elles et permettent qu'on s'en occupe mieux [113].

ALCIBIADE

C'est exact.

SOCRATE

Et pour la cité ? Quelle est la chose dont la présence ou l'absence la rend meilleure et fait qu'on s'en occupe et qu'on l'administre mieux ?

ALCIBIADE

Il me semble, **[126c]** Socrate, que c'est lorsqu'il y a de l'amitié entre ceux qui vivent les uns avec les autres, et que la haine et la dissension sont absentes.

SOCRATE

Et ce que tu appelles amitié, est-ce de l'accord ou du désaccord ?

ALCIBIADE

De l'accord.

SOCRATE

Quelle est alors la technique qui fait que les cités s'accordent entre elles sur les nombres ?

ALCIBIADE

C'est l'arithmétique.

SOCRATE

Et pour les particuliers, n'est-ce pas aussi l'arithmétique ?

ALCIBIADE

Si.

SOCRATE

N'est-ce pas aussi le cas pour chacun avec lui-même ?

ALCIBIADE

Si.

SOCRATE

Et quelle est la technique qui fait que chacun s'accorde avec lui-même sur la longueur de **[126d]** l'empan et de la coudée [114] ? N'est-ce pas la mesure ?

ALCIBIADE

C'est cela.

SOCRATE

Et n'est-ce pas elle qui met d'accord aussi bien les particuliers entre eux que les cités ?

ALCIBIADE

Si.

SOCRATE

Et pour ce qui regarde le poids, n'en va-t-il pas de même ?

ALCIBIADE

Oui, certes.

SOCRATE

Alors, quel est cet accord dont tu parles ? En quoi consiste-t-il, sur quoi porte-t-il et quelle est la technique qui l'établit ? Est-ce la même pour la cité comme pour le particulier, à l'égard des autres comme à l'égard de lui-même ?

ALCIBIADE

Il semble que oui.

SOCRATE

Mais quelle est-elle ? Ne te lasse pas de me répondre et **[126e]** efforce-toi de me l'expliquer.

ALCIBIADE

Je pense pour ma part que l'amitié et l'accord dont je parle sont ceux qui font qu'un père et une mère qui aiment leur fils s'accordent avec lui, le frère avec le frère et la femme avec son mari.

SOCRATE

Tu penses donc, Alcibiade, que le mari peut se mettre d'accord avec sa femme sur la manière de filer la laine, elle qui sait et lui qui ne sait pas [115] ?

ALCIBIADE

Certes non.

SOCRATE

Et il ne le faut pas, car c'est un savoir de femme [116].

ALCIBIADE

Oui.

SOCRATE

Soit. La femme et l'homme pourraient-ils se mettre d'accord sur la technique hoplitique **[127a]** alors qu'elle ne la connaît pas ?

ALCIBIADE

Certes non.

SOCRATE

Car tu dirais sans doute que c'est là l'affaire de l'homme ?

ALCIBIADE

Parfaitement.

SOCRATE

Donc, d'après ce que tu dis, certaines connaissances sont propres à la femme et d'autres à l'homme.

ALCIBIADE

Comment n'en serait-il pas autrement ?

SOCRATE

Et ce n'est donc pas à leur propos qu'il y a accord entre les femmes et les maris ?

ALCIBIADE

Non.

SOCRATE

Ni non plus amitié, puisque l'amitié est accord.

ALCIBIADE

Il ne semble pas, non.

SOCRATE

De sorte que, tant que les femmes pratiquent [117] ce qui leur est propre, elles ne sont pas aimées de leur mari.

ALCIBIADE

[127b] Il semble que non.

SOCRATE

Et les hommes ne le sont pas par les femmes quand ils pratiquent ce qui leur est propre.

ALCIBIADE

Non.

SOCRATE

Alors, les cités ne sont pas bien administrées tant que chacun y pratique ce qui lui est propre [118] ?

ALCIBIADE

Moi je crois que si, Socrate.

SOCRATE

Comment dis-tu ? Sans que l'amitié soit présente, alors que nous avons dit qu'elle permet la bonne administration des cités, impossible autrement ?

ALCIBIADE

Mais il me semble pourtant qu'il existe de l'amitié, lorsque **[127c]** chacun fait les choses qui lui sont propres.

SOCRATE

Ce n'est pas ce que tu soutenais tout à l'heure. Mais que dis-tu à présent ? Que sans l'accord l'amitié existe toutefois ? Ou bien qu'il peut y avoir accord sur des choses que les uns connaissent et les autres non ?

ALCIBIADE

C'est impossible.

SOCRATE

Mais, lorsque chacun fait ce qui lui est propre, est-ce une action juste ou injuste ?

ALCIBIADE

Juste ; comment pourrait-il en être autrement ?

SOCRATE

Lorsque les citoyens d'une cité accomplissent des actions justes, l'amitié ne naît-elle pas entre eux ?

ALCIBIADE

Là, Socrate, il me semble que c'est nécessaire.

SOCRATE

Mais alors, cette amitié ou cet accord dont tu parles et au sujet duquel nous devons **[127d]** être savants et de bon conseil pour être des hommes bons, quel est-il ? Je n'arrive à comprendre ni ce qu'il est ni en quoi il réside. Selon ton propre discours, il paraît tantôt exister, tantôt ne pas exister chez les mêmes personnes.

ALCIBIADE

Par les dieux, Socrate, je ne sais même plus moi-même ce que je dis, et il est possible que, depuis longtemps et sans m'en être aperçu, je sois dans le plus honteux état [119].

SOCRATE

Allons, il faut être courageux. Si tu t'en étais aperçu à l'âge de cinquante ans, **[127e]** il te serait difficile de prendre soin de toi. Mais tu as aujourd'hui l'âge auquel il convient de s'en apercevoir.

ALCIBIADE

Mais une fois qu'on s'en est aperçu, Socrate, que faut-il faire ?

SOCRATE

Répondre aux questions, Alcibiade. Si tu fais cela, si le dieu le veut et s'il faut croire en mes prédictions, toi et moi nous deviendrons meilleurs.

ALCIBIADE

Il en sera ainsi, car je vais répondre.

SOCRATE

Eh bien voyons. Qu'est-ce que prendre soin de soi-même ? Ne nous cachons pas que, souvent, **[128a]** croyant prendre soin de nous-mêmes, nous ne le faisons pas. Quand donc un homme le fait-il ? Prend-il soin de lui-même à chaque fois qu'il prend soin des choses qui lui sont propres ?

ALCIBIADE

C'est ce qu'il me semble.

SOCRATE

Soit. Quand est-ce qu'un homme prend soin de ses pieds ? Est-ce quand il prend soin de toutes les choses qui s'y rapportent ?

ALCIBIADE

Je ne comprends pas.

SOCRATE

Il y a bien quelque chose qui, pour toi, se rapporte à la main ? Une bague par exemple, dirais-tu qu'elle se rapporte à une autre partie de l'homme que le doigt ?

ALCIBIADE

Certes non.

SOCRATE

De même la chaussure avec le pied ?

ALCIBIADE

[128b] Oui [120].

SOCRATE

Et lorsqu'on prend soin des chaussures, prend-on soin des pieds ?

ALCIBIADE

Je ne comprends pas du tout, Socrate.

SOCRATE

Mais quoi Alcibiade ? Ne donnes-tu pas un nom au fait de prendre soin convenablement d'une chose ?

ALCIBIADE

Oui, certes.

SOCRATE

Et n'est-ce pas quand nous rendons une chose meilleure que tu dis que nous en avons convenablement pris soin ?

ALCIBIADE

Si.

SOCRATE

Quelle est la technique qui améliore les chaussures ?

ALCIBIADE

La cordonnerie.

SOCRATE

C'est donc par le moyen de la cordonnerie que nous prenons soin des chaussures ?

ALCIBIADE

[128c] Oui.

SOCRATE

Et de nos pieds, est-ce aussi par le moyen de la cordonnerie, ou bien est-ce une autre technique qui les améliore ?

ALCIBIADE

Une autre.

SOCRATE

La technique qui améliore les pieds n'est-elle pas aussi celle qui améliore le reste du corps ?

ALCIBIADE

Oui, c'est ce qu'il me semble.

SOCRATE

N'est-ce pas la gymnastique ?

ALCIBIADE

Précisément.

SOCRATE

C'est donc par le moyen de la gymnastique que nous prenons soin du pied, puis par le moyen de la cordonnerie de toutes les choses qui s'y rapportent.

ALCIBIADE

Bien sûr.

SOCRATE

Par le moyen de la gymnastique de nos mains, puis par la ciselure de bagues de toutes les choses qui se rapportent à la main ?

ALCIBIADE

Oui.

SOCRATE

Et par le moyen de la gymnastique du corps, puis par le tissage et par d'autres techniques de toutes les choses qui s'y rapportent ?

ALCIBIADE

[128d] Oui, absolument.

SOCRATE

Nous prenons donc soin d'une chose par le moyen d'une technique, puis de toutes les choses qui s'y rapportent par le moyen d'une autre ?

ALCIBIADE

C'est ce qu'il semble.

SOCRATE

Ce n'est donc pas lorsque tu prends soin de toutes les choses qui se rapportent à toi que tu prends soin de toi-même.

ALCIBIADE

Certes non.

SOCRATE

En effet, il est apparu que ce n'est pas par le moyen de la même technique que l'on prend soin de soi-même et de toutes les choses qui se rapportent à soi.

ALCIBIADE

Non, effectivement.

SOCRATE

Maintenant, par le moyen de quelle technique pourrions-nous prendre soin de nous-mêmes ?

ALCIBIADE

Je ne saurais le dire.

SOCRATE

Nous sommes toutefois **[128e]** d'accord sur ce point que ce n'est pas celle qui nous permettrait de rendre meilleur l'une quelconque des choses qui sont à nous, mais de nous rendre meilleurs nous-mêmes ?

ALCIBIADE

Tu dis vrai.

SOCRATE

Mais aurions-nous pu savoir quelle technique améliore la chaussure sans savoir ce qu'est une chaussure ?

ALCIBIADE

C'est impossible.

SOCRATE

Ni quelle technique améliore les bagues en ignorant ce qu'est une bague ?

ALCIBIADE

C'est vrai.

SOCRATE

Mettons. La technique qui permet de s'améliorer soi-même, pourrions-nous la connaître sans savoir ce que nous sommes nous-mêmes ?

ALCIBIADE

[129a] Impossible.

SOCRATE

Seulement, est-ce une chose facile que de se connaître soi-même, et est-ce un insouciant qui a mis cette inscription au temple de Delphes, ou bien est-ce une tâche difficile qui n'est pas à la portée de tous ?

ALCIBIADE

Moi, Socrate, j'ai souvent pensé qu'elle était à la portée de tous, mais souvent aussi très difficile.

SOCRATE

Mais qu'elle soit facile ou pas, Alcibiade, nous en sommes néanmoins là : en nous connaissant nous-mêmes, nous pourrions sans doute connaître la manière de prendre soin de nous-mêmes. Sans cela, nous ne le pourrions pas.

ALCIBIADE

C'est cela.

SOCRATE

[129b] Voyons, comment pourrait être découvert ce soi-même lui-même [121] ? Car ainsi, nous pourrions peut-être découvrir ce que nous sommes nous-mêmes, tandis que si nous restons dans l'ignorance, cela nous sera impossible.

ALCIBIADE

Ce que tu dis est convenable.

SOCRATE

Prends garde, par Zeus ! Avec qui discutes-tu en ce moment ? N'est-ce pas avec moi ?

ALCIBIADE

Oui.

SOCRATE

Et moi avec toi ?

ALCIBIADE

Oui.

SOCRATE

C'est donc Socrate qui parle ?

ALCIBIADE

Bien sûr.

SOCRATE

Et Alcibiade qui écoute ?

ALCIBIADE

Oui.

SOCRATE

N'est-ce pas par le discours que Socrate parle ?

ALCIBIADE

Sans **[129c]** doute.

SOCRATE

Parler et se servir du discours sont pour toi une même chose.

ALCIBIADE

Absolument.

SOCRATE

Mais celui qui se sert d'une chose et la chose dont il se sert ne sont-ils pas différents ?

ALCIBIADE

En quel sens dis-tu cela ?

SOCRATE

Comme, par exemple, le cordonnier coupe avec un tranchet, un couteau et d'autres outils.

ALCIBIADE

Oui.

SOCRATE

Celui qui coupe et se sert d'outils n'est-il pas différent des choses dont il se sert pour couper ?

ALCIBIADE

Comment pourrait-il en être autrement ?

SOCRATE

De même encore, les instruments dont joue le cithariste et le cithariste lui-même ne sont-ils pas différents ?

ALCIBIADE

Oui.

SOCRATE

Eh bien, c'est là ce que je demandais à l'instant, s'il ne semble pas que celui qui se sert d'une chose **[129d]** et la chose dont il se sert sont toujours différents.

ALCIBIADE

C'est ce qu'il semble.

SOCRATE

Mais alors, que faut-il dire du cordonnier ? Coupe-t-il seulement avec des outils, ou bien aussi avec ses mains ?

ALCIBIADE

Avec ses mains.

SOCRATE

Il s'en sert donc aussi ?

ALCIBIADE

Oui.

SOCRATE

Et ses yeux, le cordonnier ne s'en sert-il pas aussi ?

ALCIBIADE

Oui.

SOCRATE

Or, ne sommes-nous pas convenus que celui qui se sert de choses et les choses dont il se sert sont différents ?

ALCIBIADE

Si.

SOCRATE

Donc, le cordonnier et le cithariste sont différents des mains et des yeux avec lesquels ils travaillent **[129e]** ?

ALCIBIADE

Évidemment.

SOCRATE

Et l'homme maintenant, ne se sert-il pas de tout son corps [122] ?

ALCIBIADE

Si, bien sûr.

SOCRATE

Et n'a-t-on pas vu que ce dont on se sert était différent de celui qui s'en sert ?

ALCIBIADE

Si.

SOCRATE

L'homme est donc différent de son propre corps ?

ALCIBIADE

C'est vraisemblable.

SOCRATE

Qu'est-ce donc que l'homme ?

ALCIBIADE

Je ne saurais le dire.

SOCRATE

Tu sais toutefois qu'il est ce qui se sert du corps.

ALCIBIADE

Oui.

SOCRATE

[130a] Mais qui d'autre que l'âme se sert de lui ?

ALCIBIADE

Rien d'autre.

SOCRATE

Et n'est-ce pas en le commandant [123] ?

ALCIBIADE

Si.

SOCRATE

Voici encore un point dont, à mon avis, on ne peut disconvenir.

ALCIBIADE

Lequel ?

SOCRATE

Que l'homme est une de ces trois choses.

ALCIBIADE

Lesquelles ?

SOCRATE

L'âme, le corps ou les deux ensemble formant un tout [124].

ALCIBIADE

Sans doute.

SOCRATE

Mais n'étions-nous pas convenus que ce qui commande en propre au corps, c'est l'homme ?

ALCIBIADE

[130b] Nous en étions convenus.

SOCRATE

Est-ce donc le corps qui se commande à lui-même ?

ALCIBIADE

Nullement.

SOCRATE

Nous avons en effet dit qu'il est lui-même commandé.

ALCIBIADE

Oui.

SOCRATE

Le corps ne serait donc pas ce qui est recherché.

ALCIBIADE

Il ne semble pas, non.

SOCRATE

Est-ce alors l'ensemble qui commande au corps et cet ensemble est-il l'homme ?

ALCIBIADE

Oui, peut-être.

SOCRATE

Pas du tout. Car si l'un des deux composants ne participe pas au commandement, il n'y a aucun moyen pour que ce soit le composé qui commande.

ALCIBIADE

C'est exact.

SOCRATE

[130c] Donc, puisque ni le corps ni l'ensemble n'est l'homme, je crois qu'il reste que l'homme n'est rien ou bien, s'il est quelque chose, il faut reconnaître que ce ne peut être rien d'autre que l'âme [125].

ALCIBIADE

Parfaitement.

SOCRATE

Faut-il maintenant te prouver avec encore plus de clarté que l'âme est l'homme [126] ?

ALCIBIADE

Non, par Zeus, cela me paraît suffisamment prouvé.

SOCRATE

Si je ne l'ai pas fait avec exactitude mais de manière satisfaisante, cela nous suffit. Nous l'examinerons avec exactitude lorsque nous aurons trouvé ce que nous avons à l'instant **[130d]** laissé de côté, à cause de l'ampleur de la recherche [127].

ALCIBIADE

Quoi donc ?

SOCRATE

Ce dont on parlait tout à l'heure : qu'il faut d'abord rechercher ce que peut être le soi-même lui-même. Or, au lieu du soi-même [128], nous avons recherché ce qu'est chaque soi [129]. Peut-être cela suffit-il, car nous pourrions sans doute affirmer qu'il n'y a rien en nous qui ait davantage d'autorité que l'âme [130].

ALCIBIADE

Rien, certes.

SOCRATE

Ne convient-il pas alors de penser que, lorsque toi et moi nous conversons ensemble, en usant de discours, c'est l'âme qui s'adresse à l'âme [131] ?

ALCIBIADE

Absolument.

SOCRATE

De sorte que, **[130e]** comme nous le disions il n'y a qu'un instant, lorsque Socrate s'entretient avec Alcibiade au moyen du discours, ce n'est pas à ton visage, comme il semble, qu'il adresse ses discours, mais à Alcibiade lui-même, c'est-à-dire à son âme.

ALCIBIADE

C'est aussi mon avis.

SOCRATE

C'est donc l'âme que nous exhorte d'apprendre à connaître celui qui nous ordonne de nous connaître nous-mêmes.

ALCIBIADE

[131a] Il semble que oui.

SOCRATE

Ainsi, celui qui connaît l'une des choses relatives à son corps connaît ce qui est à lui, mais ne se connaît pas lui-même.

ALCIBIADE

C'est cela.

SOCRATE

Par conséquent, aucun médecin ne se connaît lui-même du fait qu'il est médecin, pas plus qu'un maître de gymnastique du fait qu'il est maître de gymnastique.

ALCIBIADE

Il ne semble pas.

SOCRATE

Il s'en faut de beaucoup que les agriculteurs et les autres artisans se connaissent eux-mêmes ; car les choses qui leur sont propres, ils ne semblent même pas les connaître, et ils sont même encore bien plus éloignés, du fait de leurs métiers, des choses qui leur sont propres [132]. Ce qu'ils connaissent, ce sont les choses relatives aux corps, **[131b]** celles qui s'en occupent.

ALCIBIADE

Tu dis vrai.

SOCRATE

De sorte que si la tempérance consiste à se connaître soi-même, aucun d'entre eux n'est tempérant du fait de son métier.

ALCIBIADE

Il me semble que non.

SOCRATE

C'est pour cette raison que ces métiers sont si peu estimés et qu'un homme de bien [133] n'a pas à les apprendre.

ALCIBIADE

Absolument.

SOCRATE

Au contraire, celui qui s'occupe de son corps s'occupe de ce qui lui est propre, mais non de lui-même.

ALCIBIADE

C'est bien possible.

SOCRATE

Et celui qui s'occupe de ses richesses, il ne s'occupe ni de lui-même ni de ce qui lui est propre, **[131c]** mais il est encore plus éloigné de ce qui lui est propre.

ALCIBIADE

C'est ce qu'il me semble.

SOCRATE

Donc, le financier [134] ne s'occupe pas de ce qui lui est propre.

ALCIBIADE

C'est exact.

SOCRATE

Par conséquent, si quelqu'un a été épris du corps d'Alcibiade, ce n'était pas Alcibiade qu'il aimait, mais l'une des choses propres à Alcibiade.

ALCIBIADE

Tu dis vrai.

SOCRATE

Celui qui t'aime est celui qui aime ton âme.

ALCIBIADE

Cela paraît nécessaire d'après ce qu'on vient de dire.

SOCRATE

Et n'est-ce pas que celui qui aime ton corps s'éloigne et te quitte lorsque se perd l'éclat de la jeunesse [135] ?

ALCIBIADE

C'est ce qu'il semble.

SOCRATE

[131d] Mais celui qui aime ton âme ne s'éloignera pas tant qu'elle ira vers le meilleur.

ALCIBIADE

C'est vraisemblable.

SOCRATE

Eh bien moi, je suis celui qui ne s'éloigne pas, mais qui reste quand le corps perd son éclat et que tous les autres se sont éloignés.

ALCIBIADE

Et tu fais bien, Socrate. Puisses-tu ne pas t'éloigner !

SOCRATE

Prends donc à cœur d'être le plus beau possible.

ALCIBIADE

Mais oui, j'aurai cela à cœur.

SOCRATE

Voilà bien où tu en es ; il ne semble n'y avoir eu et il n'y a pas d'autre amoureux d'Alcibiade, **[131e]** fils de Clinias, si ce n'est un seul qui est, lui, digne d'être aimé : Socrate, fils de Sophronisque et de Phénarète [136].

ALCIBIADE

C'est vrai.

SOCRATE

Mais ne disais-tu pas que je t'avais devancé de peu en t'abordant, car tu voulais venir à moi le premier pour m'adresser la parole et me demander pourquoi j'étais le seul à ne pas m'éloigner de toi ?

ALCIBIADE

C'était bien cela.

SOCRATE

Eh bien la cause en était donc que j'étais le seul à t'aimer, alors que les autres aimaient ce qui est à toi. Or ce qui est à toi se fane aujourd'hui, quand toi tu commences à t'épanouir. **[132a]** Et dorénavant, si tu ne te laisses pas corrompre par le peuple athénien et que tu ne t'enlaidis pas, je ne t'abandonnerai pas. Car ce que je crains en effet le plus, c'est que, devenu amoureux du peuple [137], tu te laisses corrompre. C'est ce qui est arrivé à déjà bien des hommes bons à Athènes. En effet, « le peuple d'Erechthée au grand cœur [138] » a bel aspect, mais il faut le dévêtir pour bien le voir. Prends donc les précautions que je te conseille.

ALCIBIADE

Lesquelles ?

SOCRATE

Entraîne-toi **[132b]** d'abord, mon très cher [139] ; apprends ce qu'il faut savoir pour aborder les affaires de la cité, et abstiens-toi jusque-là d'y aller avant d'être pourvu des contrepoisons [140], pour que rien de funeste ne t'arrive.

ALCIBIADE

Il me semble que tu parles bien, Socrate, mais essaie de m'expliquer de quelle manière nous pourrions prendre soin de nous-mêmes.

SOCRATE

Peut-être avons-nous déjà avancé dans ce raisonnement en convenant suffisamment de ce que nous sommes. Nous avions peur d'échouer, sans nous en apercevoir, en prenant soin d'autre chose que de nous-mêmes.

ALCIBIADE

C'est cela.

SOCRATE

Il s'ensuit donc **[132c]** que c'est de l'âme qu'il faut prendre soin et c'est sur elle qu'il faut diriger nos regards.

ALCIBIADE

Évidemment.

SOCRATE

Quant au soin des choses relatives au corps et à la richesse, c'est à d'autres qu'il faut le remettre.

ALCIBIADE

Certes.

SOCRATE

Comment pourrions-nous maintenant savoir le plus clairement possible ce qu'est « soi-même » [141] ? Il semble que lorsque nous le saurons, nous nous connaîtrons aussi nous-mêmes. Mais par les dieux, cette heureuse parole de l'inscription delphique que nous rappelions à l'instant, ne la comprenons-nous pas ?

ALCIBIADE

Qu'as-tu à l'esprit en disant cela Socrate ?

SOCRATE

Je vais t'expliquer **[132d]** ce que je soupçonne que nous dit et nous conseille cette inscription [142]. Il n'y en a peut-être pas beaucoup de paradigmes, si ce n'est la vue [143].

ALCIBIADE

Que veux-tu dire par là ?

SOCRATE

Examine la chose avec moi. Si c'était à notre regard, comme à un homme, que cette inscription s'adressait en lui conseillant : « regarde-toi toi-même », comment comprendrions-nous cette exhortation ? Ne serait-ce pas de regarder un objet dans lequel l'œil se verrait lui-même ?

ALCIBIADE

Évidemment.

SOCRATE

Quel est, parmi les objets, celui vers lequel nous pensons qu'il faut tourner notre regard pour à la fois le voir et nous voir nous-mêmes **[132e]** ?

ALCIBIADE

C'est évidemment un miroir, Socrate, ou quelque chose de semblable.

SOCRATE

Bien dit. Mais, dans l'œil grâce auquel nous voyons, n'y a-t-il pas quelque chose de cette sorte ?

ALCIBIADE

Bien sûr.

SOCRATE

N'as-tu pas remarqué que, lorsque nous regardons l'œil de quelqu'un qui nous fait face, notre visage se réfléchit dans sa pupille comme dans un miroir, ce qu'on appelle aussi la poupée [144], **[133a]** car elle est une image de celui qui regarde ?

ALCIBIADE

Tu dis vrai.

SOCRATE

Donc, lorsqu'un œil observe un autre œil et qu'il porte son regard sur ce qu'il y a de meilleur en lui, c'est-à-dire ce par quoi il voit, il s'y voit lui-même [145].

ALCIBIADE

C'est ce qu'il semble.

SOCRATE

Mais si, au lieu de cela, il regarde quelque autre partie de l'homme ou quelque autre objet, à l'exception de celui auquel ce qu'il y a de meilleur en l'œil est semblable [146], alors il ne se verra pas lui-même [147].

ALCIBIADE

[133b] Tu dis vrai.

SOCRATE

Ainsi, si l'œil veut se voir lui-même, il doit regarder un œil et porter son regard sur cet endroit où se trouve l'excellence de l'œil. Et cet endroit de l'œil, n'est-ce pas la pupille [148] ?

ALCIBIADE

C'est cela.

SOCRATE

Eh bien alors, mon cher Alcibiade, l'âme aussi, si elle veut se connaître elle-même, doit porter son regard sur une âme et avant tout sur cet endroit de l'âme [149] où se trouve l'excellence de l'âme, le savoir [150], ou sur une autre chose à laquelle cet endroit de l'âme est semblable [151].

ALCIBIADE

C'est ce qu'il me semble, Socrate.

SOCRATE

Or, peut-on dire qu'il y a en l'âme quelque chose de plus divin que ce qui a trait à la pensée et **[133c]** à la réflexion ?

ALCIBIADE

Nous ne le pouvons pas.

SOCRATE

C'est donc au divin que ressemble ce lieu de l'âme, et quand on porte le regard sur lui et que l'on connaît l'ensemble du divin, le dieu et la réflexion [152], on serait alors au plus près de se connaître soi-même.

ALCIBIADE

C'est ce qu'il semble [153].

SOCRATE

Se connaître soi-même, c'est donc ce que nous sommes convenus d'appeler tempérance ?

ALCIBIADE

Bien sûr.

SOCRATE

Et sans cette connaissance de nous-mêmes, sans cette tempérance, pourrions-nous savoir ce qui est à nous, ce qui est bon comme ce qui est mauvais ?

ALCIBIADE

Comment le pourrions-nous, Socrate ?

ALCIBIADE

Car il t'apparaît sans doute qu'il est impossible, **[133d]** si on ne connaît pas Alcibiade, de savoir si les choses qui sont à Alcibiade sont bien à lui [154] ?

ALCIBIADE

Par Zeus, c'est parfaitement impossible !

SOCRATE

Ni de savoir si les choses qui sont à nous sont bien à nous, si nous ne nous connaissons pas nous-mêmes ?

ALCIBIADE

Comment en effet ?

SOCRATE

Et si nous ne savons pas quelles choses sont à nous, nous ne savons pas non plus quelles choses appartiennent aux choses qui sont à nous ?

ALCIBIADE

Il semble que non.

SOCRATE

Alors, nous n'avons pas été très exacts lorsque nous sommes convenus à l'instant que certains hommes ne se connaissent pas eux-mêmes mais connaissent les choses qui leur sont propres, quand d'autres encore connaissent les choses qui se rapportent à celles qui leur sont propres. Car il semble que toutes ces connaissances **[133e]** – de soi-même, de ce qui nous est propre et de ce qui se rapporte à ce qui nous est propre – soient le fait d'une seule et même technique.

ALCIBIADE

Cela se pourrait bien.

SOCRATE

Mais quiconque ignore les choses qui lui sont propres ignore aussi bien celles qui sont propres aux autres.

ALCIBIADE

Sans doute.

SOCRATE

Et s'il ignore les choses qui sont propres aux autres, il ignore aussi celles qui sont propres à la cité.

ALCIBIADE

Nécessairement.

SOCRATE

Il ne pourrait donc pas devenir un homme politique.

ALCIBIADE

Non, certes.

SOCRATE

Ni un intendant.

ALCIBIADE

[134a] Non, certes.

SOCRATE

Il ne saura même pas ce qu'il fait.

ALCIBIADE

Non, en effet.

SOCRATE

Mais celui qui ne sait pas, ne se trompera-t-il pas ?

ALCIBIADE

Si, bien sûr.

SOCRATE

Et en se trompant, n'agira-t-il pas mal à la fois dans la vie privée et dans la vie publique ?

ALCIBIADE

Comment pourrait-il en être autrement ?

SOCRATE

Et en agissant mal, ne sera-t-il pas malheureux ?

ALCIBIADE

Parfaitement.

SOCRATE

Et ceux à l'égard desquels il agit ?

ALCIBIADE

Ils le seront aussi.

SOCRATE

Il n'est donc pas possible d'être heureux si l'on n'est pas tempérant et bon ?

ALCIBIADE

Cela n'est pas possible **[134b]**.

SOCRATE

Ainsi les hommes mauvais sont malheureux.

ALCIBIADE

Parfaitement.

SOCRATE

Ce n'est donc pas en devenant riche qu'on se délivre du malheur, mais en devenant tempérant.

ALCIBIADE

C'est ce qu'il semble.

SOCRATE

De sorte, Alcibiade, que ce n'est ni de trières, ni d'arsenaux dont les cités ont besoin afin de devenir heureuses, ni de population nombreuse, ni de grandeur, si l'excellence leur fait défaut.

ALCIBIADE

Certainement pas.

SOCRATE

Ainsi, si tu dois t'occuper convenablement et bien des affaires de la cité, c'est l'excellence que tu dois donner **[134c]** en partage aux citoyens.

ALCIBIADE

Comment pourrait-il en être autrement ?

SOCRATE

Mais est-il possible de donner en partage ce que l'on ne possède pas ?

ALCIBIADE

Comment serait-ce possible ?

SOCRATE

Il faut donc d'abord que tu t'appropries toi-même l'excellence, comme le doit quiconque entend commander et prendre soin non seulement de lui-même et de ce qui lui est propre, mais aussi de la cité et de ce qui lui est propre [155].

ALCIBIADE

Tu dis vrai.

SOCRATE

Ainsi, tu ne dois te préparer ni à la licence ni au pouvoir, comme tu le souhaiterais pour toi et pour la cité, mais à la justice et à la tempérance [156].

ALCIBIADE

C'est ce qu'il semble [157].

SOCRATE

Car si vous agissez avec justice **[134d]** et avec tempérance, toi et la cité agirez d'une manière agréable aux dieux.

ALCIBIADE

C'est vraisemblable.

SOCRATE

Et comme nous le disions tout à l'heure, vous agirez en portant votre regard sur ce qui est divin et brillant [158].

ALCIBIADE

C'est ce qu'il semble.

SOCRATE

Et alors, en y portant votre regard, vous vous verrez et vous vous connaîtrez, vous-mêmes comme ce qui vous est propre [159].

ALCIBIADE

Oui.

SOCRATE

Et n'agirez-vous pas alors convenablement [160] et heureusement ?

ALCIBIADE

Si.

SOCRATE

Alors, **[134e]** si vous agissez ainsi, je consens à garantir que vous serez heureux.

ALCIBIADE

Si tu la garantis, la chose est sûre.

SOCRATE

Mais si vous agissez avec injustice, en portant votre regard sur ce qui est contraire au divin et ténébreux, vos actions le seront pareillement, car vous ne vous connaîtrez pas vous-mêmes.

ALCIBIADE

C'est ce qu'il semble.

SOCRATE

En effet, cher Alcibiade, le particulier ou la cité qui auraient la liberté de faire tout ce qu'ils veulent alors qu'ils sont dépourvus d'intellect [161], que leur arrivera-t-il selon toute vraisemblance ? Par exemple, un malade qui a la liberté d'agir comme il le veut, alors qu'il est dépourvu d'intellect propre à guérir, **[135a]** et qui soit tyrannique au point de ne pouvoir se blâmer lui-même, que lui arrivera-t-il ? Selon toute vraisemblance, ne détruira-t-il pas son propre corps ?

ALCIBIADE

Tu dis vrai.

SOCRATE

Et sur un navire, si un passager avait la liberté de faire ce que bon lui semble, en étant privé de l'intellect et de l'excellence du pilote, ne vois-tu pas ce qui lui arriverait, à lui comme à ses compagnons ?

ALCIBIADE

À mon avis, ils périraient tous.

SOCRATE

De la même manière, dans une cité comme dans tout pouvoir et dans toute liberté d'action, l'absence d'excellence ne conduit-elle pas **[135b]** à mal agir ?

ALCIBIADE

Nécessairement.

SOCRATE

Ce n'est donc pas à la tyrannie, mon bon Alcibiade, qu'il faut vous préparer, toi et la cité, si vous voulez être heureux, mais à l'excellence [162].

ALCIBIADE

Tu dis vrai.

SOCRATE

Et tant qu'on ne possède pas l'excellence, mieux vaut, non seulement pour un enfant mais aussi pour un homme, obéir à un meilleur que soi que de commander.

ALCIBIADE

C'est ce qu'il semble.

SOCRATE

Or, ce qui est meilleur est aussi plus beau ?

ALCIBIADE

Oui.

SOCRATE

Et le plus beau est ce qui convient le mieux ?

ALCIBIADE

Comment pourrait-il en être autrement ?

SOCRATE

Il convient donc que le méchant **[135c]** soit esclave, puisque cela vaut mieux pour lui [163].

ALCIBIADE

Oui.

SOCRATE

Une mauvaise nature est donc le propre de l'esclave.

ALCIBIADE

C'est ce qu'il semble.

SOCRATE

Et l'excellence le propre de l'homme libre.

ALCIBIADE

Oui.

SOCRATE

Mais, mon ami, ne faut-il pas fuir ce qui est propre à l'esclave ?

ALCIBIADE

Plus que tout Socrate.

SOCRATE

Tu t'aperçois maintenant de l'état qui est le tien ? Est-ce ou non celui d'un homme libre ?

ALCIBIADE

Je crois que je m'en aperçois on ne peut plus clairement.

SOCRATE

Sais-tu alors comment échapper à l'état dans lequel tu te trouves à présent ? Car je ne peux nommer cet état devant un homme si beau.

ALCIBIADE

Oui, **[135d]** je le sais.

SOCRATE

Comment ?

ALCIBIADE

Si tu le veux, Socrate [164].

SOCRATE

Tu parles mal, Alcibiade.

ALCIBIADE

Mais comment faut-il dire ?

SOCRATE

Si le dieu le veut.

ALCIBIADE

Je le dis donc ; mais j'ajoute toutefois qu'il y a là un risque que nous échangions nos rôles, moi prenant le tien et toi le mien ; car rien n'empêchera maintenant que je te suive pas à pas, et que tu trouves en moi ton pédagogue [165].

SOCRATE

Ah mon bon, **[135e]** mon amour ne se distinguera donc pas de celui de la cigogne ; il aura fait éclore en toi un amour ailé qui à son tour s'occupera de lui [166].

ALCIBIADE

La chose est entendue : je vais dès à présent commencer à prendre soin de la justice.

SOCRATE

Et j'aimerais t'y voir persévérer. Ce n'est pas que je me méfie de ta nature, mais je vois la puissance de notre cité, et je redoute qu'elle ne l'emporte sur moi comme sur toi [167].

NOTES
de la traduction de l'*Alcibiade*

1. Le titre de l'*Alcibiade* et ses deux sous-titres (le premier qualifiant l'objet du dialogue, le second son genre philosophique) furent adoptés par les éditeurs qui, au Ier siècle de notre ère (Dercyllide et Thrasylle), choisirent de regrouper les dialogues platoniciens par groupe de quatre. Selon Diogène Laërce, le *Premier Alcibiade* fut rangé dans la quatrième des neuf tétralogies, aux côtés du *Second Alcibiade*, de l'*Hipparque* et des *Riaux*. Sur ce mode de classement, voir Diogène Laërce, *Vies et doctrines des philosophes illustres*, livre III, traduit et annoté par A.-P. Segonds, Paris, Les Belles Lettres, 1996, et commenté par L. Brisson dans *Aufstieg und Niedergang der Römischen Welt*, Berlin, De Gruyter, 1992, volume 36.5, p. 3709-3713. Au témoignage de Diogène, on ajoutera celui d'Olympiodore, cité et examiné par A. P. Segonds dans son introduction au commentaire de Proclus *Sur le Premier Alcibiade* (noté *In Alc.* par la suite, I, p. LXXVIII). J'ai choisi ici de ne pas retenir la mention de « *Premier* » *Alcibiade* (ou d'*Alcibiade* « *majeur* »), que rien n'impose plus (d'autant moins que le « *Second* » *Alcibiade*, ou « *mineur* », n'était pas tenu pour authentique par tous les lecteurs anciens).

2. Sur Clinias, voir la notice de L. Brisson dans le *Dictionnaire des philosophes antiques*, sous la direction de R. Goulet, Paris, éditions du CNRS, II, 1994, p. 163-167.

3. « Amoureux » rend ici et par la suite le grec *erastēs*. On distingue l'amoureux (ou « amant ») de celui qui est aimé (*erómenos*). Sur la question et sur la relation homosexuelle en Grèce ancienne, voir K.J. Dover, *L'Homosexualité grecque*, Grenoble, La Pensée sauvage, 1982, puis M. Foucault (1984), *L'Usage des plaisirs*. Dans le *Phèdre* et le *Banquet*, Platon traite plus longuement de cette relation amoureuse.

4. Socrate y revient par deux fois : en 105d, mais aussi à terme, en désignant l'élément intellectif de l'âme, le sujet de la réflexion, comme ce qui en l'âme humaine est proprement divin (124c, puis 133b-c).

5. Sur Xanthippe d'Athènes, qui s'illustra dans les guerres contre les Perses, voir le témoignage d'Hérodote, *Enquête*, notamment VI, 131. Xanthippe avait épousé Agaristé, nièce du grand réformateur Clisthène.

6. Avancer rend *pariénai*, qui signifie ici, au sens politique, prendre place devant l'assemblée du peuple pour y tenir un discours, monter à la tribune (voir, par exemple, Périclès accomplissant le même geste, Thucydide, *Histoire de la guerre du Péloponnèse*, II, 59).

7. Sur cette « toute-puissance » (*méga dúnasthai*), qui est l'idéal de la carrière du gouvernant telle que l'envisage la rhétorique politique athénienne, voir la discussion du *Gorgias* 466b-471d.

8. Ce que Socrate dénonce ici, sous la forme d'un désir immodéré de puissance, vaut *stricto sensu* pour la politique impériale de la démocratie athénienne. L'incapacité des dirigeants athéniens à concevoir une cité une et autarcique, limitée et se suffisant à elle-même, est incarnée dans l'ambition conquérante d'Alcibiade, qui est à l'image de la politique impériale de son tuteur Périclès. Le portrait d'Alcibiade par Socrate accuse ainsi le contraste qui existe entre les qualités du jeune homme (la bonne naissance, l'éducation et la fortune) et son excessive ambition. C'est que, comme l'expliquera de nouveau Socrate dans la *République*, le meilleur naturel possible (celui d'Alcibiade) ne peut guère résister aux sollicitations et aux modèles de conduite qui sont ceux de la cité corrompue dans laquelle il vit (VI, 494c-495a ; et avant cela, les derniers mots de l'*Alcibiade* 135e).

9. Cyrus le Grand (Cyrus II) fut le fondateur de l'empire perse, sur lequel il régna de 559 à 529. Xerxès régna à son tour sur la Perse entre 486 et 465. Il dirigea, lors des guerres médiques contre les Grecs, la grande invasion qui conduisit les troupes perses jusque dans l'Attique et à la prise d'Athènes abandonnée par ses habitants. Mais à Salamine, en 480, ses troupes furent défaites et repoussées par celles de Thémistocle. Les témoignages historiques sur ces deux grandes figures sont nombreux (voir, à des époques différentes, ceux d'Hérodote, *Enquête*, I, III, VII-VIII, et de Xénophon, *Cyropédie* [« l'éducation de Cyrus »]). Socrate revient sur le caractère exceptionnel de la puissance des rois perses dans le récit des pages 121a-124b. La mention de Cyrus et de Xerxès n'est toutefois pas innocente : le premier mourut au combat après d'innombrables conquêtes, le second fut assassiné après ses défaites. Dans les *Lois*, Platon condamnera sans ambiguïté les deux rois perses, leur éducation déplorable (celle de Xerxès plus encore que celle de Cyrus) et leur despotisme conquérant ; l'histoire qui sépare leurs deux règnes est celle de l'échec pitoyable du despotisme absolu (*Lois* III, 694a-698a). Voir encore les remarques de Proclus, *In Alc.*, 150-151.

10. Sur Clinias, voir *supra*, la note 2 de la traduction.

11. Socrate distingue son usage du *lógos* de celui des discours politiques à l'assemblée (certains rhéteurs en tenaient d'interminables), comme il le fait devant Gorgias et Polos dans le *Gorgias*,

en opposant au discours persuasif le discours réfutatif (471e-472d). Ce dernier suppose un partage et une réciprocité véritables. Le discours ne donnera lieu à une connaissance que sous la forme d'une recherche commune, au moyen d'un dialogue.

12. Il s'agit de la première règle de l'entretien réfutatif, selon laquelle les hypothèses examinées sont celles de l'interlocuteur lui-même. Des exemples de la même règle sont donnés par le *Gorgias* 454b-c, 457a-458b, et le *Ménon* 75c-d, 84c-d. Proclus souligne ainsi dans son commentaire que « d'après Platon, ce sont les interrogés qui tirent d'eux-mêmes toutes leurs réponses » (*In Alc.*, 171).

13. « Mieux » rend ici *béltion*, le comparatif d'*agathón* (bon). Platon use aussi de l'autre comparatif d'*agathós*, , *ámeinón*, rendu alors par « meilleur » ou « préférable ». Voir l'Introduction, p. 37-38.

14. La question est déterminante : selon Platon, seule l'*hypothèse* que l'on possède ou non un savoir peut justifier que l'on décide ou non d'apprendre (*Ménon* 84a-d développe plus amplement ce point). Si la croyance (*pistis*) ou l'opinion (*dóxa*) peuvent être un obstacle à la connaissance, c'est précisément parce qu'elles en interrompent et en empêchent l'acquisition.

15. Dans son commentaire, Proclus s'attarde assez longuement sur ce refus d'Alcibiade. La tradition se sert de l'anecdote pour montrer qu'Alcibiade était à ce point et si tôt soucieux de sa beauté qu'il ne voulait pas jouer d'un instrument qui aurait déformé son visage (voir le témoignage de Plutarque, *Vie d'Alcibiade*, 3 ; ce qu'on rend couramment par « flûte », *aulós*, était en réalité un instrument plus long et plus lourd, une sorte de hautbois ; l'instrument était peu prisé, et l'on dit que la déesse Athéna le méprisa justement parce qu'il enlaidit celui qui en joue ; on a conservé flûte par commodité). Proclus estime que la flûte est ici le symbole de la jeunesse impétueuse (*In Alc.*, II, 197-198 ; voir les notes correspondantes d'A.-P. Segonds qui mentionnent des études sur l'instrument). On rappellera enfin qu'Alcibiade est accompagné d'une joueuse de flûte lorsqu'il intervient, ivre et braillard, dans le *Banquet* 212c-e.

16. Platon use ici des deux comparatifs d'*agathón* signalés *supra*, la note 13 de la traduction. La nuance des deux termes ne peut guère être rendue en français.

17. C'est du fait de cette réponse d'Alcibiade que la recherche bascule. La délibération politique suppose la prise en compte de ce qui nous est propre, et donc du même coup de ce que nous sommes. Cette enquête sur « nos affaires » devient ainsi le préalable nécessaire à la recherche de ce que sont « les affaires de la cité ».

18. « Les affaires de la cité » sont les choses qui l'occupent et lui sont propres (*tôn póleōs pragmátōn*). Platon les désigne encore sous une forme substantivée, en parlant des affaires (ou choses) politiques (*tà politikà*), comme c'est le cas en 118b8. Cela suppose qu'on peut attribuer à la cité, comme à un sujet humain par exemple, des possessions ou des biens ; mais aussi et surtout qu'on peut la définir elle-même comme étant l'ensemble des choses qui

lui sont propres. Alcibiade, en bon Athénien, réduit les choses politiques aux choses militaires. C'est une restriction dont Socrate va peu à peu dénoncer l'illégitimité.

19. Le « pédotribe » (*paidotribēs*), littéralement « celui qui exerce les jeunes garçons », dirigeait les exercices au gymnase, plus particulièrement la pratique de la lutte, au corps à corps ou simplement avec les avant-bras (l'*akrokheirismós*, qui avait la réputation d'être moins brutale).

20. Ici et dans les lignes qui suivent, « l'exercice du corps » rend *gumnastikón* (ou la technique *gumnastikḗ*), c'est-à-dire l'ensemble des exercices ou sports pratiqués au gymnase.

21. Convenable rend l'adverbe *kalôs* qui, littéralement, signifie « bellement » (et donc « comme il faut » ; son usage devient alors analogue à celui de l'adverbe *orthôs*).

22. La *mousikḗ* est « l'art des Muses », au sens large, qui embrasse non seulement la musique proprement dite, mais aussi la poésie et la danse. La « musique » et la « gymnastique » sont ainsi les deux versants de l'éducation complète (la *paideia*). Ce sont du reste les deux rubriques d'après lesquelles la *République* exposera l'éducation des gardiens (II, 376e sq.).

23. La honte (qu'Alcibiade déclarera effectivement éprouver en 127d) est l'état de celui qui éprouve l'inadéquation de sa conduite ou de ses propos par rapport à la règle à laquelle il croit devoir les soumettre. Ce sentiment est proprement éthique. La réfutation socratique en fait l'un de ses objectifs (l'interlocuteur réfuté devra éprouver de la honte à l'idée d'avoir pu soutenir des opinions fausses), comme le montre L.-A. Dorion, « La subversion de l'*elenchos* juridique dans l'*Apologie de Socrate* », *Revue philosophique de Louvain*, 88, 1990, p. 311-343 (ici, voir p. 312-317). Sur l'importance de la honte dans la pensée éthique grecque, voir K.J. Dover, *Greek Popular Morality. In the Time of Plato and Aristotle*, Berkeley et Los Angeles, University of California Press, 1974, p. 226-242, puis B. Williams, *La Honte et la nécessité* [1993], Paris, PUF, 1997, pour la traduction française. Comme le souligne Proclus, on éprouve de la honte lorsqu'on devient « soi-même son propre accusateur » (*In Alc.*, 209-211). Dans les *Tusculanes*, Cicéron rappelle la désolation dans laquelle se trouve Alcibiade lorsque Socrate lui montre qu'« entre lui, Alcibiade, issu d'une noble famille, et le premier portefaix venu, il n'y avait nulle différence » (III, 32, 77).

24. C'est donc Alcibiade qui introduit la question de la justice dans l'entretien. Le juste est donné ici comme la norme d'après laquelle on évalue une action.

25. Socrate institue ici progressivement la justice comme l'unique critère d'évaluation, non seulement de ce qui est juste au sens strict, mais aussi de ce qui est conforme à l'usage (*nóminon*) et de ce qui est convenable (ou « beau » ; la beauté se dit aussi, pour les Grecs, en un sens moral ; l'action convenable ou la personne de vertu [le *kalòs kagathós*] sont dits « beaux »). De la sorte, en définissant le

juste, on aura défini le critère d'excellence commun de toute action comme de toute conduite.

26. La construction des lignes 109c5-7 ne va pas de soi. A. Carlini, dans son étude de 1963 puis dans son édition de 1964, a proposé de revoir l'attribution de la réplique « et cela ne semble pas beau » (109c5), en suivant Proclus qui met cette réplique dans la bouche de Socrate et non d'Alcibiade (comme le feront en revanche tous les éditeurs modernes à partir d'Alde Manuce de Venise, en 1513). On a traduit ici le texte de Proclus, en suivant A. Carlini (et la conjecture qui attribue à Alcibiade une réplique [« Non »] en 109c7).

27. Il s'agit de Zeus, dieu de l'Amitié, qu'il est courant de désigner ou d'invoquer ainsi par son titre, son « épiclèse » (« *philiou* » pour « *Diòs philiou* », comme le fait par exemple Socrate dans le *Gorgias*, 500b et 519e). Sur cette invocation dans les dialogues platoniciens, voir la remarque d'E.R. Dodds dans son commentaire au *Gorgias*, Oxford, Clarendon Press, 1959, p. 318.

28. Une troisième forme de connaissance, distincte de la connaissance reçue et de la connaissance acquise, doit donc être envisagée. Elle sera associée à la croyance ou à l'opinion, avec un statut particulier, intermédiaire entre la connaissance véritable, le savoir, et l'ignorance pure et simple. Le *Phédon* poursuivra l'enquête sur l'acquisition des connaissances, en reprenant la même alternative (75c sq.).

29. Le « grand nombre » rend ici et par la suite l'expression *hoi polloi*, qui désigne, parfois en mauvaise part, la foule, la plupart des hommes. Mais la connotation péjorative du terme « foule » paraît ici trop forte. Sont ici distingués ceux, les plus nombreux, qui ne possèdent pas le savoir recherché, et ceux, en petit nombre, qui se distinguent comme savants. Cette distinction très courante chez Platon, qui réserve au savant ou au « philosophe » un privilège d'exception parmi les hommes, est toutefois déjà traditionnelle (les fragments d'Héraclite en donnent un usage semblable, voir notamment, dans la numérotation Diels-Kranz, les fragments 2, 17, 35, 57 et 114 ; Proclus fait déjà le rapprochement, p. 255-256 de son commentaire).

30. Le jeu qu'on a pris l'habitude de rendre par « trictrac » (*petteia*) était une sorte de jeu de dames ; il est pour Platon l'exemple même d'une activité insignifiante, mais pourvue toutefois de *règles* très précises. La justice, par comparaison, concerne des choses d'une importance bien plus grande, mais c'est justement pour cette raison qu'il faudrait aussi pouvoir en connaître les règles (de façon à ce qu'elles puissent être connues, enseignées et pratiquées). Pour d'autres recours platoniciens au même jeu, voir *Charmide* 174b, *Gorgias* 450d, *Lois* V, 739a, VII, 820c, X, 903d, *Phèdre* 274d, *Politique* 299e ou *République* I, 333b, II, 374c, VI, 487c et X, 604c.

31. C'est ce qui distingue la connaissance de l'éristique, c'est-à-dire du conflit d'opinions sans véritable issue, dont l'objet est seu-

lement d'imposer un avis ou une définition. Voir les discussions du *Gorgias*, 457c-d, du *Ménon* 75a-e, et de la *République* V, 453e-454b.

32. Sur le statut du langage chez Platon, comme sur les remarques relatives à la grammaire et à l'alphabet (en 114c), voir l'Introduction au *Cratyle* par C. Dalimier, Paris, GF-Flammarion, 1997, et l'étude de C. Gaudin, *Platon et l'alphabet*, Paris, PUF, 1990.

33. En dépit des variations dialectales, il faut rappeler que les Grecs s'entendaient sur la langue commune. La traduction de cette réplique de Socrate a été quelque peu forcée, de manière à rendre très explicite l'analogie, récurrente dans l'*Alcibiade*, entre l'ordre de l'individuel et celui du collectif (*idía dēmosía*). C'est cette analogie qui permettra d'établir (127c) que la perfection du rapport à soi (que désigne le terme de « tempérance ») trouve son équivalent dans la perfection d'un rapport aux autres (qu'on nomme « justice »).

34. Le texte dit *krḗguoi didáskaloi eisin* ; le terme de *krḗguos* est un hapax dans le corpus platonicien (et de ce fait l'un des motifs, pour certains lecteurs, de soupçonner l'inauthenticité de l'*Alcibiade*).

35. L'allusion à l'œuvre d'Homère est d'autant plus vague que les récits qu'elle rassemble mettent tous en scène des contestations et des conflits. Il faut par ailleurs remarquer que Socrate ne distingue ici le « juste » et le « sain » qu'à des fins explicatives. Le constat de conflit reprend la fin du *Gorgias* et l'affirmation selon laquelle la justice est la santé de l'homme (c'est-à-dire de son âme ; voir 478e-479e, puis 506c sq.).

36. En 457, à Tanagra et à Oinophytes, les Athéniens affrontèrent les Lacédémoniens pour défendre les Béotiens (et défendre aussi bien leur hégémonie). Les seconds furent vainqueurs à Tanagra, à l'issue d'une guerre que Thucydide décrit comme un carnage, avant que les premiers l'emportent à Oinophytes (*Histoire de la guerre du Péloponnèse*, I, 107-108). Dans le pastiche d'oraison funèbre qu'il donne dans le *Ménexène*, Platon fait de la bataille de Tanagra l'exemple même d'une guerre animée par la rivalité et l'envie ; une guerre fratricide, puisqu'elle opposa Athènes et la Grèce (242a-c) ; voir J.-F. Pradeau, Introduction au *Ménexène* de Platon, Paris, Les Belles Lettres, 1997, p. VII-XXXII.

37. La bataille de Coronée (en Béotie) eut lieu en 447, elle opposa Athènes aux oligarques béotiens qui l'emportèrent. Clinias, le père d'Alcibiade, général et homme politique, mourut alors au combat.

38. L'opinion est une forme d'errance ou d'égarement. Platon joue sur la double signification du verbe *plonômai*, qui signifie à la fois errer, perdre son chemin, et se tromper, se fourvoyer (L. Robin traduit « divaguer »). Pour le même usage et entre autres, voir *Hippias mineur* 366d-367a, *Protagoras* 356d5, *République* VI, 484b6 et 485b2 (l'errance est celle des hommes auxquels fait défaut la connaissance de ce qui est).

39. C'est là le rappel de la première règle de l'entretien réfutatif ; voir *supra*, les notes 11 et 12 de la traduction.

40. Socrate fait allusion au début de l'*Hippolyte* d'Euripide (v. 352), où Phèdre se montre incapable d'avouer elle-même l'amour qu'elle porte à son beau-fils Hippolyte.

41. Les Athéniens prennent leurs opinions sur le juste et l'injuste pour des évidences (*dêla*, des choses qui sont à elles-mêmes leurs propres preuves) ; or les opinions sont précisément les connaissances qui se distinguent par leur absence de fondement.

42. L'entretien doit donc porter sur la distinction du juste et de l'avantageux. Cette distinction est au cœur de la discussion qui oppose Socrate à Polos dans le *Gorgias* (472d-479a). Les termes n'en sont pas identiques, puisque c'est le terme *ōphélimon* (le secours, l'aide qu'apporte quelque chose à quelqu'un) qui est employé dans le *Gorgias*, là où l'*Alcibiade* emploie celui de *súmpheron*. La *République* adoptera exclusivement le second terme, qui désigne plus explicitement l'avantage acquis par quelqu'un (sous la forme d'un bien ou, par exemple, d'une richesse). La notion d'avantage est décisive ici, dans la mesure où elle apparaît être le critère de l'usage convenable des objets, quels qu'ils soient, de la manière dont ils peuvent apporter quelque chose (*sumphérein*) à notre existence selon qu'on en use bien ou mal. Cette discussion doit donc être rapportée à la définition ultérieure de l'homme comme âme se servant d'un corps et d'objets techniques (129c-130c). Pour un argument semblable, voir la *République* I, 338a-344c, et la remarque du *Cratyle* 416e-417a.

43. Sur la persuasion que met en œuvre la rhétorique (ici, le verbe *peíthein*), voir encore la discussion plus élaborée du *Gorgias* 449a-454c. La critique vise ici aussi l'usage public du discours, la rhétorique politique.

44. Littéralement : tu es excessif, démesuré (*hubristḗs*) ; Alcibiade réagit ainsi à ce qu'il considère être de l'insolence (de son point de vue, la proposition de Socrate est en effet déplacée).

45. Le courage (*andreía*) est la vertu virile par excellence. Elle est l'excellence du citoyen en armes ; voir, dans le même sens, le témoignage du *Charmide* et surtout du *Lachès* (à propos duquel on peut se reporter à C.L. Griswold, « Philosophy, Education and Courage in Plato's *Laches* », *Interpretation*, 14, 1986, p. 177-193).

46. En 115d1-2, on suit le texte d'Henri Estienne (adopté par A. Carlini), qui sépare *mégista* et *málista*, pour mettre ce superlatif dans la bouche d'Alcibiade. L'intérêt de cette construction est d'éviter la conjecture d'une réplique d'Alcibiade de type « *nai* », absente des manuscrits (mais adoptée par Burnet et Croiset à la suite de Dobree).

47. L'*Anthologie* de Stobée ajoute ici (en 115e5-7) deux répliques qui ne figurent pas dans les manuscrits : « – Alcibiade : Certes. – Socrate : Le courage est pour toi l'une des meilleures choses, la mort l'une des pires ? » L'ajout paraît trop redondant pour être retenu.

48. « Produit » rend ici « *apergázomai* » ; le vocabulaire est technique, et Platon suggère que la bonne action est, littéralement, celle qui fabrique et produit du bien. De telle sorte qu'on peut

évaluer l'action selon son effet, selon la perfection de l'ouvrage qu'elle réalise effectivement. Sur l'action (désignée comme production, *poïēsis*) ainsi tenue pour une forme de « travail », voir l'*Hippias mineur* 373d-e.

49. La conclusion est pour le moins étrange, étant donné ce qui précède. Sur la rigueur toute relative de la démonstration de Socrate, voir l'Introduction, p. 44-46.

50. « *Eû prâttein* » (bien agir) est un syntagme figé, la locution courante qui désigne l'action conforme à la règle éthique (et de ce fait, « heureuse »). Encore une fois (note précédente), l'identité de la beauté et de la bonté est ici obtenue de manière forcée. Socrate ne dit pas que le beau est immédiatement identique au bien, comme on l'attend, mais il affirme donc que la belle action est ce qui produit, *réalise le bien* (qu'est le courage, 115e). On rappellera que c'est par cette formule que s'ouvrent les *Lettres* attribuées à Platon, au point que cette formule de salutation, en lieu et place du *khaírein* habituel, fut considérée comme la signature de Platon (voir, dans la même collection, les remarques de L. Brisson en introduction à la traduction de ces *Lettres*, p. 10-11)

51. La conclusion n'est pas rigoureuse (on devrait avoir ici « la *belle* action est donc une belle chose »), mais Alcibiade lui donnant son assentiment, Socrate peut poursuivre, aux dépens de son interlocuteur.

52. Péparèthe (aujourd'hui Skopelos) est une petite île de la côte de Thessalie, en mer Égée. Elle est citée ici et avec humour comme un exemple de cité minuscule (comme nous parlerions aujourd'hui de la vie politique d'une bourgade sans importance) ; Thucydide la mentionne, en III, 89.

53. Pour Platon, les connaissances, qu'elles soient fondées ou non, sont d'abord et toujours des affections (des *páthēmata*) de l'âme ; voir, entre autres, les remarques du *Phédon* (79c-e) ou du *Timée* (37a-c ou 42a). Par ailleurs, avant d'y revenir en 118a, Socrate insiste bien ici sur le fait que la *raison* du changement d'opinion (sa cause et son explication) est l'ignorance. Sur cette question, voir H. Tarrant (1989), « *Meno* 98a. More Worries », p. 121-122.

54. À la personne d'Alcibiade, Socrate substitue ici son âme. Celle-ci est donc désignée, bien avant la fin de l'entretien, comme le véritable *sujet* de la connaissance.

55. L'assimilation de la conduite individuelle à la manœuvre d'un bateau est d'autant plus précieuse à Platon qu'elle lui permet de définir littéralement cette conduite comme une certaine forme d'*orientation* (c'est-à-dire de la qualifier comme un transport orienté vers une fin, au moyen d'un certain nombre de manœuvres qui exigent toutes une compétence technique). Le *Politique* usera abondamment de cette métaphore, pour l'appliquer aussi bien aux conduites individuelles qu'à la manière dont le démiurge commande les révolutions du monde dans son ensemble (voir 272d-e, 273d, puis 297e-298e, et l'étude de L. Brisson, « Interprétation du mythe

du *Politique* », dans *Reading the Statesman*, ed. C.J. Rowe, Sankt Augustin, Academia Verlag, 1995, p. 349-363).

56. Il s'agit ici de confier son sort (*paradidōmi*) à ceux qui vont agir à notre place. Dans cette même page, toujours rendu par l'expression « s'en remettre à », Platon emploie soit le verbe *epitrē-pein* (qui signifie confier quelque chose à quelqu'un, la lui remettre), soit ici (en 117e2) *paradidònai*, dont le sens est analogue. Ce qui est ici remis aux techniciens compétents, ce n'est pas le choix de la manière dont nous devrions agir, mais c'est l'action elle-même, dont on n'est plus le sujet.

57. Cette figure intermédiaire est celle de l'opinion, errance et ignorance qui s'ignore (voir l'Introduction, p. 38-41). Ici, outre son statut gnoséologique intermédiaire, ce sont ses conséquences éthiques comme condition de l'action qui sont exposées.

58. Comme Thucydide en témoigne à plusieurs reprises, Périclès s'était toujours entouré de maîtres de renom, artistes et savants. Pythoclide de Céos était un joueur de flûte et un maître de musique (il est mentionné dans le *Protagoras* 316e). Anaxagore de Clazomènes (c. 500-428) est le « physiologue » dont Socrate rapporte dans le *Phédon* qu'il fut son premier maître (non pas directement, mais à travers ses écrits, 97b-99d) ; sur le statut d'Anaxagore dans les dialogues platoniciens, voir D. Babut, « Anaxagore jugé par Socrate et Platon », *Revue des études grecques*, 91, 1978, p. 44-76, et surtout les remarques de L. Brisson, « L'unité du *Phèdre* de Platon. Rhétorique et philosophie dans le *Phèdre* », dans *Understanding the Phaedrus*, ed. L. Rossetti, Sankt Augustin, Academia Verlag, 1992, p. 69-74. Enfin, le musicien Damon d'Athènes, mentionné dans le *Lachès* (180d) et la *République* (III, 400b, et IV, 424c) fut à son tour le maître de musique de Périclès et peut-être même celui de Socrate (selon Diogène Laërce, *op. cit.*, II, 19). Il faut prêter attention au fait que chacun de ces personnages joua à Athènes et auprès de Périclès un rôle politique de conseiller (voir le témoignage de Plutarque, *Vie de Périclès*, IV). C'est à ce titre que Socrate les mentionne ici, en mauvaise part bien sûr (puisque leur commun élève a conduit Athènes au désastre).

59. Le principe ici énoncé (celui qui sait doit pouvoir enseigner ce qu'il sait) et la conséquence qui en est tirée (celui qui n'a pas su former de bons disciples doit être jugé ignorant) sont constamment invoqués par Platon. Parmi d'innombrables exemples, voir ceux du *Lachès* 179a-181a, du *Gorgias* (contre Périclès) 515d-e, du *Ménon* 93a-94d et du *Théétète* 150d-151a.

60. Deux des fils de Périclès, Paralos et Xanthippe, qui mourront peu après leur père, lors de l'épidémie de peste de 429, et qui étaient des nigauds notoires (voir le *Ménon* 94b, puis les témoignages d'Aristote, *Rhétorique*, II, 15, 1390b27-31, et de Plutarque, *Vie de Périclès*, XXIV, 5 et 36, 1-4).

61. Clinias, le frère cadet d'Alcibiade, confié lui aussi à Périclès, était, semble-t-il, passablement agité et manifestement rebelle à

toute éducation (Socrate le signale dans le *Protagoras* 320a-b, pour en tirer de nouveau un argument contre Périclès).

62. La « fréquentation » (*sunousía*), comme l'a souligné Y. Brès, a chez Platon un sens technique (*La Psychologie de Platon*, Paris, PUF, 1968, p. 72-84, où Y. Brès insiste alors sur l'importance de la relation amoureuse dans la recherche de la vertu, lorsque l'amant tente de s'identifier à celui qu'il fréquente). La relation pédagogique suppose en effet une forme d'assimilation de l'élève au maître, le premier tentant de se rendre semblable au second. La question est reprise à la fin de l'*Alcibiade*. Cette fréquentation, et cette assimilation du disciple au maître (ou du citoyen à sa cité), ne doit pas être réduite à la seule relation homosexuelle ; voir les remarques parentes du *Gorgias* 513a-d, et du *Cratyle* 403c-d.

63. Témoin de l'entretien qui occupe le *Parménide*, Pythodore fut un grand stratège athénien, après avoir été archonte en 431. Défait par les Locriens en 426/425, il sera exilé (voir Thucydide, *Histoire de la guerre du Péloponnèse*, notamment IV, 2 et 63). Le sort fâcheux de Pythodore, comme celui (voir la note suivante) de Callias, montre bien comment les leçons de Zénon, si cher payées, n'auront en rien sauvé les deux élèves.

64. Callias d'Athènes, fils de Calliadès, fut l'un des cinq stratèges athéniens à la tête de l'expédition contre Potidée, à l'été 432 (c'est lors de cette campagne que Socrate se battit aux côtés d'Alcibiade, avant de lui sauver la vie à Délium ; voir le *Banquet*, 219e-221c). Callias y trouvera la mort ; voir le récit de Thucydide, *Histoire de la guerre du Péloponnèse*, I, 61-63.

65. La somme indiquée ici est énorme. Callias était certes connu pour être le plus riche des Athéniens, mais, dans l'*Apologie de Socrate*, il déclare payer cinq mines les leçons qu'Événos de Paros donne à ses fils (20b). Sachant que cinq mines représentent à peu près l'équivalent de deux ans de salaire d'un ouvrier qualifié, la somme de cent mines payée à Zénon est parfaitement fantasque. Sur la question, voir G. Vlastos, « Plato's Testimony concerning Zeno of Elea », p. 158-161. Dans cette même étude, G. Vlastos tire argument du statut de quasi-sophiste ici réservé à Zénon, rémunéré pour ses leçons, pour déclarer l'*Alcibiade* apocryphe. Pour un témoignage plus nuancé sur le compte de celui qui fut sans doute le plus connu des disciples de Parménide, voir le *Parménide* et le *Phèdre* (et les explications données par L. Brisson dans l'introduction à chacun des deux dialogues, Paris, GF-Flammarion, 1994 et 1989).

66. Il s'agit ici de la première occurrence du motif du soin, l'*epiméleia* (sur cette notion, voir l'Introduction, p. 46-65). Qui plus est, c'est la première fois que le pronom réfléchi est objectivé : on réfléchit à *soi-même* comme à un objet particulier avant, plus loin, de le considérer enfin comme l'objet d'une activité spécifique, le soin de soi-même (l'*epiméleia sautoû*).

67. À défaut de pouvoir faire valoir une compétence politique spécifique, Alcibiade met en avant une autorité *par nature* (*phusei*). C'est là un motif commun de l'idéologie aristocratique athénienne,

et plus particulièrement de l'appel à l'autorité d'un droit naturel (c'est-à-dire d'une puissance politique fondée en nature, sur une force réelle) dans le débat relatif au statut de la loi. Sur cette question et ses enjeux, on peut désormais se reporter aux analyses très complètes d'A. Neschke, *Platonisme politique et théorie du droit naturel*, Louvain-Paris, Peeters, 1995, Première partie, p. 23-164. Pour une revendication du même type, voir le discours de Calliclès dans le *Gorgias* (491e-492c).

68. « Aspect » rend *idéa*, qui signifie à la fois l'aspect extérieur, l'apparence physique, et le caractère.

69. Navire de guerre athénien par excellence, la trière fut l'arme de l'empire maritime d'Athènes. Manœuvrée à la rame par près de soixante-dix hommes, d'une longueur voisine de 35 m, la trière qui pouvait porter deux cents hommes à son bord était construite et armée par les citoyens les plus riches, qui s'acquittaient ainsi de leur contribution à la puissance de la cité, mais s'octroyaient en même temps un pouvoir politique déterminant. Dans cette cité en armes et en guerre qu'était l'Athènes classique, le financement et le contrôle de la flotte étaient le principal instrument de pouvoir. Pour une introduction historique d'ensemble, on peut consulter C. Mossé, *Politique et société en Grèce ancienne*, Paris, Aubier, 1995 ; puis les grands ouvrages de M.I. Finley (parmi lesquels, pour les textes traduits, *Démocratie antique et démocratie moderne*, Paris, Payot, 1976 ; *Économie et société en Grèce ancienne*, Paris, La Découverte, 1984 ; et *L'Invention de la politique*, Paris, Flammarion, 1985) ; et enfin, la précieuse étude d'A. Momigliano, « Sea Power in Greek Thought », *The Classical Review*, 58, 1944, p. 1-7.

70. « Action » rend ici *érgon*, qui signifie encore l'œuvre, l'ouvrage réalisé ; sur la relative indistinction du vocabulaire du faire et de l'agir, voir *supra*, la note 48.

71. La conjonction *hopóte* suivie de l'indicatif ayant valeur d'hypothèse ou de condition, la substitution de *ei pote* (par Burnet) au *opóte* de tous les manuscrits (en 119e8) n'est pas indispensable (c'est toutefois le choix qu'adoptent tous les éditeurs contemporains).

72. Le « Grand roi » est le roi de Perse.

73. Sparte (ou Lacédémone) et l'empire perse sont les deux principaux ennemis de l'Athènes classique. Athènes avait notamment combattu et vaincu les Perses à la suite des guerres médiques (492-480), et elle allait s'opposer bientôt aux Lacédémoniens, lors de la guerre du Péloponnèse (431-404).

74. Les jeunes Athéniens fortunés étaient très friands de combats de volatiles. Ils faisaient combattre des coqs ou des cailles, ou s'amusaient, plus simplement, à les lapider (Platon y fait allusion dans le *Lysis* 211e et 212d, et dans l'*Euthydème* 290d). Ces jeux entretenaient un important commerce de cailles, et ce Midias était le plus connu des éleveurs (Aristophane lui aurait consacré une comédie, aujourd'hui perdue). Plutarque conserve le témoignage

d'un Alcibiade à ce point épris de cailles qu'il en porte une sous le bras, comme un animal de compagnie (*Vie d'Alcibiade*, 10).

75. Les esclaves portaient les cheveux ras ; c'est la raison pour laquelle, peu après leur affranchissement, leur coiffure signalait leur ancienne condition.

76. « Bien élevés » rend *eû traphôsin* ; sur ce vocabulaire de la *trophḗ*, voir *infra*, la note 84 de la traduction.

77. Selon une habitude grecque commune, Socrate fait allusion ici aux généalogies divines des peuples. Héraclès, fils de Zeus, était le héros divin par excellence, l'incarnation de la bravoure grecque. Ses descendants, les « Héraclides », sont les Doriens installés dans le Péloponnèse. Quant à Persée (dont Achéménès est le fils), lui aussi fils de Zeus, il est l'ancêtre de la lignée des « Achéménides », à laquelle appartenaient les souverains de l'empire perse fondé par Cyrus le Grand (c. 559-529). Ces lignées sont évoquées par le premier livre de l'*Enquête* d'Hérodote (voir aussi III, 75), où Platon puise vraisemblablement l'essentiel du matériau de son récit.

78. Eurysakès était le fils du héros Ajax et de Tecmessa, la fille du roi Téleutas. Il descendait de Zeus *via* Éaque et Télamon (fils d'Éaque et père d'Ajax).

79. Sophronisque, le père de Socrate, était un sculpteur (voir *Euthyphron* 11c-d, et les notes correspondantes de L.-A. Dorion dans l'édition GF-Flammarion, 1997). Les sculpteurs tenaient Dédale pour leur patron et ancêtre commun. La réponse de Socrate est bien sûr comique ; mais en opposant ainsi sa lignée artisanale à la prestigieuse généalogie d'Alcibiade, il insiste aussi sur l'importance des *œuvres*, en lieu et place des *titres*.

80. Dans le Péloponnèse, Argos était, aux VIe et Ve siècles, la grande cité rivale de Sparte. Longtemps alliée d'Athènes, Argos fut défaite en 418 et passa alors sous la domination de Sparte.

81. Particuliers rend *idiôtai*, dont le sens est assez péjoratif, puisqu'il désigne des hommes dépourvus d'ascendance noble. Léon Robin ose « bourgeois », mais l'expression ne qualifie qu'approximativement la modestie sociale de ceux qui sont dénigrés ici comme étant surtout dépourvus de l'éducation et de la culture réservées aux hommes bien nés.

82. Les victoires athéniennes (Salamine en 480, Égine en 457) ne sont donc rien en comparaison de la domination ancienne et divine de ces cités (Ajax est le fils de Télamon, roi de Salamine) ; Artaxerxès (465-424), fils et successeur de Xerxès sur le trône perse, fut à l'origine de la paix dite « de Callias », conclue en 449 entre Athènes et la Perse.

83. Xerxès, roi perse (de 486 à 465), fils de Darius Ier, était à la tête de l'expédition contre la Grèce qui prit fin, lors des guerres médiques, avec la victoire athénienne de Salamine (en septembre 480) dont *Les Perses* d'Eschyle donnent un récit fameux.

84. « Ni selon la *trophḗ* » ; ce terme, distinct de celui de *paidéia* (rendu ici, en 122b4 et 6, par « éducation ») désigne la nourriture et, par extension, l'éducation de l'enfant par une nourrice. Ce sont

les conditions dans lesquelles un individu est élevé qui sont ainsi visées, alors qu'on réserve le terme de *paidéia* pour qualifier le contenu du savoir reçu, la culture éducative proprement dite. Sur la question avant l'*Alcibiade*, voir la discussion du *Lachès*, 178a-190c.

85. « Officiellement » traduit *dēmosia*, qui signifie littéralement que la surveillance est « publique », au sens politique du terme.

86. Les éphores étaient des magistrats élus pour un an, qui veillaient au respect de la Constitution et des lois (l'institution de l'éphorat remonte sans doute au VIe siècle). Au nombre de cinq, ils exerçaient un important pouvoir de contrôle sur le roi, qui devait leur rendre des comptes et dont le propre pouvoir était limité au commandement des armées. Voir, sur l'institution de l'éphorat, le récit d'Hérodote (*Enquête*, I, 65-66), et celui, différent, de Platon dans les *Lois* III, 682d-e et 691e-692a (où l'éphorat, dont l'institution est attribuée à Lycurgue, est présenté comme une heureuse manière de tempérer le pouvoir des rois).

87. Cette remarque, comme c'est le cas d'une bonne partie de cette « fable royale », est un bon mot qui ne devait pas manquer de provoquer l'hilarité du lecteur contemporain. C'était en effet l'une des anecdotes les plus connues et les plus évoquées de sa vie que l'épisode de l'exil lacédémonien d'Alcibiade, durant lequel il fut surpris à la sortie de la chambre de Timaia, la femme du roi sparte Agis. C'est un tremblement de terre (à l'hiver 413/412), qui avait précipité l'amant hors du lit de son hôte alors absent. L'affaire fit d'autant plus scandale, et les remarques de Socrate sont ici d'autant plus drôles, que la liaison d'Alcibiade et de Timaia donna naissance à un bâtard, Léotychidas. L'épisode est raconté par Xénophon (*Helléniques*, III, 3, 2), puis, entre autres, par Cornelius Nepos (VII, 11) et Plutarque (*Alcibiade*, 23 ; *Agésilas*, 3 ; *Lysandre*, 22). C'est effectivement « autant qu'on le peut » que les éphores gardaient la reine.

88. Là encore, la remarque est assez piquante. Au premier livre de son *Enquête* (107 sq.), Hérodote rapporte une anecdote fameuse sur la naissance de Cyrus (enlevé à sa mère et promis à la mort avant d'être sauvé par un bouvier) ; il est probable que Platon y fasse ici allusion : de nouveau, les reines sont moins bien gardées que Socrate ne feint de le croire.

89. Il semble que la boutade puisse être attribuée au poète comique Platon (fragment 204 de l'édition Kock).

90. Ce qui est dit ici de l'éducation des Perses doit être comparé à la présentation très admirative qu'en donne Xénophon au tout début de sa *Cyropédie*, I, 1 ; Platon *revoit* les lieux communs de la grandeur perse au profit d'une démonstration qui, paradoxalement, va surtout établir que l'éducation (fût-elle celle des Perses) ne suffit pas à l'excellence.

91. On retrouve ici ce que la tradition philosophique désignera comme les quatre vertus « cardinales » ; il revient à Platon d'en avoir dressé la liste. Certains lecteurs se sont étonnés de leur présence ici, avant d'en tirer argument pour soupçonner l'authenticité du dia-

logue (par exemple, E. de Strycker, *art. cit.*, p. 146, qui affirme que la distinction des quatre vertus n'est pas fixée avant la *République*). On rappellera, à la suite de C. Vink, *op. cit.*, p. 81-82, que cette énumération apparaît pourtant avant l'*Alcibiade*, notamment dans le *Protagoras* 329c-330b (voir, dans la collection GF-Flammarion, 1997, la note 180 p. 181 de F. Ildefonse, et l'étude de L. Brisson, « Les listes de vertu dans le *Protagoras* et dans la *République* », *Problèmes de la morale antique*, sous la direction de P. Demont, Amiens, Faculté des Lettres, 1993, p. 75-92). Qu'elle n'ait pas ici, pas plus que dans le *Protagoras*, le sens technique (indistinctement psychologique et politique) qui sera le sien dans la *République* n'enlève rien à son existence et à son importance. Platon considère ces quatre qualités comme les quatre principales « parties de la vertu » (*Lachès* 190c, et *Protagoras* 330b), sans pour autant résoudre ici (il faut alors et effectivement attendre la mise au point du livre IV de la *République*) la question de l'*unité* de la vertu.

92. Le prophète Zoroastre (ou Zarathoustra) est à l'origine de la réforme de la religion traditionnelle iranienne, à la fin du VIIe siècle, sans doute avant la période des Achéménides (la dynastie fondée par Cyrus II). On doit remarquer comment, chez les Perses, c'est un culte religieux qui tient lieu de savoir (cette collusion du pouvoir politique et du pouvoir sacerdotal est toujours dénoncée par Platon ; voir les explications de V. Goldschmidt, *Platonisme et pensée contemporaine* [1970], Paris, Vrin, 1990, p. 105-118, puis de L. Brisson, « L'Égypte de Platon », *Études philosophiques*, 1987, p. 153-168). Hérodote, qui ignorait la doctrine de Zarathoustra, n'est pas la source de Platon ; mais certains des rites qu'évoque le premier livre de son *Enquête* (I, 131-140) appartiennent au culte zoroastrien. C'est à l'époque de Platon seulement que les Grecs prirent connaissance du zoroastrisme.

93. Sur l'expression *theōn therapeia*, littéralement « le soin des dieux », voir la discussion de l'*Euthyphron*, 12e-13e, et les explications qu'en donne L.-A. Dorion, *op. cit.*, p. 313-314.

94. Le personnage n'est pas mentionné dans d'autres dialogues. Cicéron rapporte une anecdote sur son compte, où il apparaît comme une sorte de physiognomoniste (« il se faisait fort de reconnaître la nature de chaque individu à son type physique ») qui cherche à imputer à la laideur proverbiale de Socrate la cause de tous les vices de ce dernier (*Tusculanes*, IV, 37, 80, et *De fato*, V, 10, où Cicéron rapporte qu'Alcibiade éclata de rire en apprenant que Zôpire avait affirmé que la physionomie de Socrate prouvait qu'il était idiot et adonné aux femmes. Jacques Brunschwig, qui m'a signalé cette anecdote, est aussi prudent que Léon Robin dans sa traduction : s'agit-il seulement du même Zôpire ?).

95. Les vertus lacédémoniennes sont des qualités citoyennes et guerrières, conformément à la représentation commune de Sparte, cité militaire (voir P. Cartledge, *Sparta and Lakonia*, Londres, Routledge & Kegan, 1979). Elles représentent toutes l'excellence d'une forme particulière de tempérance, la maîtrise de soi (la *sōphrosúnē*

est ici synonyme d'ordre et de discipline). L'aspect « cognitif » de la tempérance, que Socrate va mettre en avant, en expliquant que la tempérance suppose une connaissance de soi, est ici absent. Les Lacédémoniens sont tempérants par obéissance et vertueux par goût des honneurs.

96. Les hilotes sont des serfs, originaires de Laconie et de Messénie, sous l'esclavage de Sparte. Astreints aux travaux agricoles, dépourvus de tout droit, ils se révoltèrent à plusieurs reprises (notamment autour de 460).

97. La Messénie, au sud-ouest du Péloponnèse, était sous domination spartiate, au moins depuis le VIIe siècle. C'est en Messénie qu'eut lieu la grande révolte des hilotes.

98. Platon vise ici la politique commerciale de l'empire athénien, entièrement tributaire des importations de biens étrangers, mais aussi et surtout du trésor que constituaient les tribus que les cités alliées devaient verser à Athènes, en paiement de son soutien et de sa protection. Bon nombre de témoignages dénoncent la manière dont Athènes utilisait cet argent à des fins exclusivement intérieures. Sur la politique économique athénienne et la nature des importations de biens et de richesses, voir P. Garnsey, *Famine et approvisionnement dans le monde gréco-romain* [1988], Paris, Les Belles Lettres, 1996, pour la traduction française, p. 131-202.

99. La fable d'Ésope à laquelle Socrate fait allusion est celle du « lion et du renard » (142, dans la traduction de D. Loayza, Paris, GF-Flammarion, 1995 : le lion vieillissant, incapable de chasser ses proies, feint d'être malade et les attire dans sa caverne d'où elles ne sortent pas ; le renard, « qui l'avait percé à jour », décline l'invitation). Sur l'importance et les enjeux de cette citation, voir la remarquable étude de M.-L. Desclos (1997), « " Le renard dit au lion... " (*Alcibiade majeur*, 123a), ou Socrate à la manière d'Ésope ».

100. Le régime politique spartiate était une oligarchie, dirigée par un conseil dont les membres, les « éphores » (voir *supra*, note 86), exercent le pouvoir en entourant deux rois (la « dyarchie ») dont l'autorité est avant tout militaire et religieuse. Comme les rois homériques, les deux souverains recevaient de la cité un tribut particulier et des terres.

101. Le plèthre est une mesure itinéraire d'environ 29,6 m (six plèthres font un stade ; trois cents plèthres font environ vingt-quatre hectares).

102. Agis, le roi de Lacédémone, dirigea toutes les interventions militaires contre Athènes de 426 jusqu'à la victoire ; il avait accueilli Alcibiade lors de son premier exil, jusqu'à l'épisode adultérin (voir, *supra*, note 87).

103. Première occurrence du précepte delphique dans le dialogue. Voir l'Introduction, p. 47-53. Les autres usages platoniciens du précepte delphique se trouvent dans le *Protagoras* 343a, le *Phèdre* 229e, le *Philèbe* 19c, 48c, le *Timée* 72a et les *Lois* XI, 923a (et les auteurs de dialogues apocryphes le rappellent dans le *Second Alcibiade* 144d, l'*Hipparque* 228e et les *Rivaux* 138a).

104. D'après les arguments de la discussion qui précède la fable, c'est donc un savoir (toute technique supposant un savoir particulier) et une maîtrise de soi qui sont exigés afin de devenir excellent.

105. Là encore, la question des conditions de l'amélioration est récurrente et commune aux dialogues contemporains que sont l'*Euthydème*, le *Ménon* et le *Gorgias*. L'*Alcibiade* lui donne une réponse psychologique et cognitive : on devient meilleur en (se) connaissant ; ainsi le lien est-il renforcé entre la connaissance de nous-mêmes et l'excellence dont nous sommes capables.

106. Socrate fait donc de nouveau allusion à son « démon » (103a-106a), de manière cette fois à lier l'éducation et la connaissance à la piété. Servir la divinité, pour Socrate, c'est entreprendre d'être savant (un tel désir définissant le philosophe) ; voir l'*Apologie de Socrate*, 20b-23b, et l'Introduction qu'en donne L. Brisson, Paris, GF-Flammarion, 1997, p. 52-56.

107. La mention de ces techniciens et artisans (cavaliers, marins, cordonniers) a deux fonctions. Il s'agit d'abord de rappeler qu'une compétence est exigée lorsqu'il s'agit de s'occuper convenablement d'un objet quelconque. Compétence qui est l'effet de la possession d'un certain savoir, comme le dialogue l'avait établi (116e-118b). Mais il s'agit ensuite, aussi, de résoudre une question politique : dans la mesure où les hommes « bons » sont ceux qui doivent commander dans la cité, est-ce qu'une compétence particulière dans un domaine donné (l'équitation, la marine, la cordonnerie) peut donner droit à une compétence politique ? Cette question, à laquelle Platon répond par la négative, est récurrente dans les discussions politiques des dialogues (pour un exemple très proche, voir *Protagoras*, 319a-320c, puis 322d-323c).

108. « Réfléchis » rend ici *phronímous*. *Phrónimos* signifie intelligent, doué de bon sens. À la différence de l'adjectif *sophós*, qu'on rend par savant, *phrónimos* désigne une aptitude pratique, une intelligence de la situation. C'est la raison pour laquelle le terme est associé à la vertu de tempérance, la *sōphrosúnē* (qui sera définie en 131a-b comme une certaine forme de connaissance et de maîtrise de soi). Platon traite abondamment de la « réflexion » (*phrónesis*) et du *phrónimos* dans le *Gorgias*, notamment 489d-491c, et dans la *République* IV, 430d-434c. Pour une présentation d'ensemble de l'usage philosophique ancien de la notion, voir P. Pellegrin, « Prudence », dans le *Dictionnaire d'éthique et de philosophie morale* publié sous la direction de Monique Canto-Sperber, Paris, PUF, 1996, p. 1201-1207.

109. Les choreutes sont les membres du chœur, dirigés par le chef de chœur. Le chœur grec était un groupe de danseurs, qui parfois chantaient. La « technique du chef de chœur » (*khorodidaskalikē*) est donc d'abord une « chorégraphie ». Y compris sur la scène théâtrale, où le chœur tragique dansait et chantait.

110. L'*euboulía*, rendue ici par « bon conseil », désigne l'aptitude à décider bien, à prendre la bonne décision dans une situation quelconque. À ce titre, comme le dira la *République*, elle est une certaine

science, puisque « c'est à l'aide de la science que l'on prend de bonnes décisions » (IV, 428b8-9). Mais c'est précisément du fait de cette condition (un savoir doit présider à la bonne décision) que Platon dénonce, dans la rhétorique politique démocratique comme dans la sophistique, la réduction de la science politique à cette seule aptitude à délibérer. Voir comment Protagoras donne de son enseignement politique la même définition qu'Alcibiade : « Mon enseignement porte sur la manière de bien délibérer (*euboulia*) dans les affaires privées [...] ainsi que dans les affaires de la cité » (*Protagoras* 318b6-7). Aristote poursuivra l'analyse de l'*euboulia* dans l'*Éthique à Nicomaque*, VI, 10, en distinguant de semblable façon la bonne délibération de la science (la délibération étant une recherche de ce que l'on ignore) et celle de l'opinion (car l'opinion est déjà une affirmation, et non plus une recherche).

111. « Imprudence » rend *aboulia*, l'incapacité à décider ; voir la note précédente.

112. La présence ou l'absence (les verbes *paragignomai* ou *apogignomai*) d'une qualité générique fait donc la qualité particulière d'une chose. Cette qualité générique doit être connue pour elle-même, comme la qualité commune des choses particulières qui sont susceptibles de la posséder. Le *Gorgias* souligne de la même façon que « les choses sont bonnes par la présence d'une certaine excellence » (506d3). La modalité de cette présence n'est pas plus examinée dans le *Gorgias* que dans l'*Alcibiade*, mais il va de soi que l'hypothèse des formes intelligibles et de la participation, qui n'est pas présupposée ici, s'appuiera sur cette relation bien particulière. Ainsi et à partir du *Phédon* (99e-105b), Platon soutiendra-t-il que les choses sont ce qu'elles sont et possèdent les qualités qu'elles possèdent en vertu de leur participation à des formes intelligibles (qui sont précisément des qualités génériques).

113. S'occuper rend *therapeúien*, qui n'est qu'une partie de l'*epiméleia* (rendue par *soin*).

114. La coudée (*pêkhus*) est la mesure d'un pièd et demi (≅ 0,444m) ; l'empan (*spithamē*) mesure une demi-coudée (≅ 0,222 m).

115. L'accord (*homónoia*) présuppose donc une connaissance. L'amitié à son tour, comme l'avait déjà montré le *Lysis* 210b, présuppose précisément la réflexion. Le *Lysis* avait entrepris de définir l'amitié, sans paraître pouvoir échapper à l'alternative aporétique du semblable et du dissemblable : soit l'amitié lie entre eux des caractères semblables, soit elle lie des caractères dissemblables. Ni l'une ni l'autre de ces définitions n'étant acceptée, le *Lysis* s'achève sur cette idée que l'amitié ne doit peut-être pas être définie selon la seule identité des caractères ou des intérêts, mais plutôt selon une certaine forme de ressemblance de nature entre les âmes des amis (222a). En termes politiques, la difficulté ici rencontrée est la même : comment accorder entre eux des individus dont les activités et les connaissances sont distinctes ? La *République* poursuivra la recherche qui est ici à peine entamée, en montrant comment la cité

excellente doit être tempérante et juste, c'est-à-dire réaliser en elle l'accord d'éléments de nature et de valeur distinctes (IV, 432a-b). Aristote se souvient, dans l'*Éthique à Nicomaque*, des analyses platoniciennes, lorsqu'il définit la concorde comme une « amitié politique » (IX, 6).

116. Ici, savoir rend *mathēma*.

117. Ici et dans les répliques suivantes, le verbe *prâttein* est rendu par « faire » ou par « agir ».

118. La discussion n'aboutit pas ici, mais Socrate laisse explicitement entendre que la cité ne peut être juste et convenablement administrée qu'à la condition que chacun y pratique ses propres affaires (*ta autôn prâttousin*, 127a14 et b11). C'est ce que développera la *République*, mais que le *Charmide* avait déjà indiqué (c'est alors Critias qui affirme que cette pratique des choses propres définit la tempérance, 161a-b).

119. Ce sentiment de honte vient confirmer le constat de 108e-109a (voir la note correspondante et l'article cité de L.-A. Dorion).

120. L'*Anthologie* de Stobée ajoute ici (en 128a13-b1) deux répliques qui ne figurent pas dans les manuscrits : « – Socrate : Et les vêtements et les couvertures aux autres parties du corps ? – Alcibiade : Oui. » La continuité de l'exemple des chaussures paraît inutilement rompue par cet ajout. L'auteur de cette interpolation paraît se souvenir de *Gorgias* 517d2-5 (voir P. Friedländer (1964), *Plato*, II, p. 231-243).

121. Le soi-même lui-même rend une redondance pronominale assez inhabituelle, *autò tò autó*. L'expression a gêné les commentateurs. Elle est délicate pour deux raisons. D'une part, parce qu'elle elle ressemble au vocabulaire que Platon emploiera par la suite pour désigner les formes intelligibles (en disant que la forme du beau, par exemple, est le beau « lui-même ») ; c'est ce qui a conduit certains lecteurs à comprendre que Socrate invite ici Alcibiade à connaître la forme intelligible du soi-même (ainsi R.E. Allen (1962), « Note on *Alcibiade I*, 129b1 »). D'autre part, le sens même de l'expression change, selon qu'on lui donne un sens pronominal ou substantivé (c'est-à-dire selon qu'on comprend « cette chose elle-même », où le pronom rappellerait le « soi-même » du précepte delphique, ou bien, comme je le fais, « le soi-même lui-même », où *tò autó* est substantivé ; pour des exemples identiques, voir *Charmide* 167c5, *Protagoras* 311a1, *Gorgias* 491d8 et, plus loin, *Alcibiade* 130d4 et 132c7). Je comprends donc simplement qu'il s'agit, une fois établie la nécessité de se connaître soi-même, de rechercher ce qu'est ce soi-même lui-même (notamment afin de ne pas confondre ce que nous sommes nous-mêmes avec ce qui nous est propre). Le soi-même, objet de la recherche, est donc ici « objectivé » et dépersonnalisé : il existe quelque chose, qu'il convient de définir, qui est le « soi-même » qu'est chacun, et qu'on ne saurait confondre avec ses attributs et qualités, son nom ou encore son corps (J. Brunschwig, parle à juste titre, d'une « désindividualisation de l'objet de la

recherche », *art. cit.*, 1996, p. 68 ; et J. Annas, *art. cit.*, p. 122, lisait déjà ce passage de la même manière).

122. La notion d'*órganon* (qui signifie aussi bien l'organe corporel que l'outil technique) vient compléter les remarques sur l'usage. Le corps peut être considéré comme un outil (comme moyen d'une action), puis l'outil technique, à son tour, comme le prolongement de l'organe. De toutes les activités qui impliquent de tels outils, l'âme reste l'unique sujet. Aristote comparera de la même manière le corps à l'outil (voir, entre autres textes, *Parties des animaux*, I, 1 ; *Éthique à Eudème*, VII, 9 et *Éthique à Nicomaque*, VIII, 13). L'identification du corps à un outil paraît trouver sa première expression chez Démocrite (voir le fragment DKB 159).

123. Cette précision distingue l'usage du corps de l'usage des autres objets (on ne « commande » pas un outil). Elle fait signe aussi vers la discussion de la page 125b-e, consacrée à l'exercice du pouvoir politique (au commandement). On doit supposer ici et rétrospectivement que le dirigeant, s'il veut améliorer ses concitoyens, doit être différent d'eux sous un certain aspect. Vu le contexte, on peut au moins supposer qu'il les *connaisse* (tout comme l'âme doit connaître ce corps auquel elle commande). Sur cette question et sur la manière dont les rapports de l'âme et du corps sont envisagés dans l'*Alcibiade*, voir J. Laurent (1994), « La mesure de l'humain dans l'*Alcibiade* et les *Lois* », p. 42 sq. Aristote reprendra dans les mêmes termes la définition de l'âme commandant au corps pour l'appliquer au commandement politique (dans la cité, ce sont les meilleurs qui doivent commander aux autres ; voir les *Politiques*, I, 5).

124. « Tout » rend *sunamphóteron*, qui signifie, littéralement, le fait d'être ensemble. La question difficile du rapport qui existe entre l'âme et le corps est passablement éludée ici. Platon n'en mentionne donc que deux aspects : l'âme et le corps sont en situation de coprésence, et la première gouverne le second. Les dialogues ultérieurs préciseront, sans y déroger, ce schéma (avec le même vocabulaire du composé ; voir, par exemple, dans le *Timée*, la définition du vivant comme tout formé par une âme et un corps, 87e). Les répliques de ces deux pages 129c-130b font partie de celles qui, dans l'*Alcibiade*, ont paru excessivement scolaires et, de ce fait, apocryphes à certains lecteurs (qui estiment alors que l'auteur de l'*Alcibiade* résume ici une doctrine platonicienne).

125. La formule selon laquelle « l'homme n'est pas son corps » aura elle aussi une postérité considérable, dans les traditions stoïcienne puis chrétienne. Platon cherche à définir l'homme lui-même ou, mieux, le soi-même en l'homme. Les distinctions qu'il produit ici (comme dans le *Phédon*) seront reprises et accentuées de façon encore plus tranchée par les stoïciens (sur cette dévaluation du corps, voir les explications et les textes cités par J. Pépin (1971), p. 132-141, et les remarques de l'Annexe 2, en fin de volume).

126. Cette conclusion doit pouvoir être comprise de la manière suivante : c'est l'âme qui est, pour tout homme, ce qu'il est en propre (lui-même). Il ne s'agit donc pas d'une restriction (l'homme ne serait que son âme), mais d'une précision (ce qui individue

l'homme comme sujet, c'est l'âme). La *République* hérite de cette leçon (I, 353d-354a).

127. La conclusion qui précède, selon laquelle l'âme est l'homme, n'est donc qu'une réponse approximative et provisoire. Il faut poursuivre l'enquête pour répondre à la question de ce que nous sommes. Comme y insiste Socrate lui-même, il faut être plus exact encore (sur cette réserve, voir J. Brunschwig, *art. cit.*, 1996, p. 69).

128. Afin de renforcer la symétrie entre ce passage et l'expression « le soi-même lui-même » (le *autò tò autó* de 129b1-2), F. Schleiermacher a proposé d'ajouter ici la conjecture *autoû*, afin qu'on lise « au lieu du soi-même *lui-même* ». Le texte en serait simplement plus explicite, de sorte que la conjecture ne paraît pas indispensable.

129. Là encore, la traduction de la phrase (le statut du *autòn hékaston* en 130d6) a fait l'objet de discussions nombreuses. Contre l'hypothèse notamment défendue par O. Goldin [1993] (qui comprend « nous avons recherché ce qu'est chaque chose », en lisant *ti esti* en lieu et place d'*hóti esti*, « Self, Sameness and Soul in *Alcibiades* and *Timaeus* », p. 7-8), je suis la solution qu'ont adopté R.E. Allen, D.S. Hutchinson, ou encore J. Brunschwig, en comprenant qu'au lieu d'avoir recherché ce qu'est le soi-même lui-même, l'entretien s'en est tenu à des sujets particuliers (ce qu'est Socrate, ce qu'est Alcibiade). Au contraire, il convient désormais de définir le principe même de toute individuation, le sujet lui-même.

130. Sur la suggestion de D. Furley, R.E. Allen, *art. cit.*, p. 188, a proposé de traduire le *kurṓterón* en 130d7 par « déterminant » (rien ne serait plus déterminant en nous que l'âme) ; le contexte, celui de l'usage et du commandement, plaide toutefois pour la traduction « autoritaire » qu'on a adoptée.

131. Le langage est pour Platon le moyen expressif de la pensée. Le sujet du discours et de la pensée est le même, il s'agit de l'âme, et leur nature est commune, puisque la pensée est une certaine forme de discours. À l'occasion de sa critique de la rhétorique, le *Phèdre* définit la pensée, en l'âme, comme un discours dont le langage est « en quelque sorte une image » (276a-c). Le *Théétète* définit également la pensée comme « un discours que l'âme se tient tout au long à elle-même sur les objets qu'elle examine » (189e ; voir encore le *Sophiste*, qui identifie pensée et discours, 263d-264b).

132. L'éloignement (le comparatif *porrōtérō*) est celui qui, à partir de ce que nous sommes nous-mêmes en propre, parcourt tous les objets qui nous sont propres ou dont nous faisons usage. L'éloignement suit donc la tripartition des objets évoquée plus haut et distingue progressivement les activités selon qu'elles se rapportent à nous, à ce qui nous est propre ou à ce qui est propre à ce qui nous est propre. Ici et dans les répliques qui suivent, on a rendu *tékhnē* par « métier ».

133. Homme de bien rend ici *andrōs agathoû*.

134. Financier rend *khrēmatistḗs* (celui qui a la charge des ressources, des richesses). On distingue ainsi cet « homme d'affaires »

de l'*oikonomikós* (133e11), qui désigne plus précisément l'administrateur des biens d'une maison (rendu alors par intendant) ; les deux termes restent toutefois synonymes (voir l'exemple du *Phèdre* 248d).

135. Voir la remarque semblable du *Banquet*, 183e3.

136. Phénarète était accoucheuse, comme Socrate le rappelle dans le *Théétète* 149a sq.

137. Amoureux du peuple rend *dēmerastḗs*, un néologisme sans doute forgé par Platon, à partir de *dêmos* et d'*erastḗs*. Proclus, *In Alc.*, 146, en déduit à son tour l'hapax *dēmerastikós*. Socrate dénonçait chez Calliclès un semblable désir pour le peuple (*Gorgias* 481d). Platon ne tient pas le goût du pouvoir, la démagogie et leurs excès pour librement consentis. Ce sont des pathologies, dont les gouvernants sont toujours victimes.

138. Il s'agit du peuple d'Athènes, dans les termes d'Homère, *Iliade*, II, v. 547. Selon la légende, Erechthée le roi fondateur d'Athènes était *né de la terre* elle-même, « autochtone ». Il est l'une des figures du mythe de l'autochtonie, dont l'importance était décisive dans la représentation idéologique athénienne (voir le récit archaïque du *Critias* 108e-110c, et les études de N. Loraux, *Les Enfants d'Athéna*, Paris, Seuil, 1990[2], puis *L'Invention d'Athènes*, Paris, Payot, 1993[2]).

139. En lui demandant de s'entraîner (*gúmnasai*), Socrate renvoie Alcibiade au gymnase (c'est-à-dire à la poursuite de sa formation adolescente, manifestement incomplète).

140. Sur le statut et le rôle des remèdes ou « contrepoisons » (*alexiphármaka*), voir le *Phèdre* (et l'usage du *phármakon*, en 230d, puis 270b, 274e et 275a). Platon emploie couramment un vocabulaire médical afin de désigner le soin (et la réforme ou « thérapie ») qu'il convient de prendre de notre conduite. Ainsi et parmi d'innombrables exemples, le *Gorgias* désigne-t-il l'application de la justice (le châtiment) comme une thérapie médicale (478b-e).

141. Ce qu'est le « *autò* », substantivé ici comme il l'était dans la formule redoublée (« le soi-même lui-même ») de 129b1-2 et 130d5. Littéralement, il faudrait traduire « ce qu'est le même » (en 132c7, je lis, avec A. Carlini qui retient une leçon de F. Schleiermacher, *gnoîmen autò enargéstata*).

142. La plupart des études modernes portent sur le développement qui va suivre. Les adversaires de l'authenticité de l'*Alcibiade* font ici leurs critiques les plus sévères. Outre l'article déjà cité d'E. de Strycker, voir E. Dönt (1964), « Vorneuplatonisches im Grossen Alkibiades », qui conclue à l'impossibilité que les pages 132c-133c soient de Platon (p. 50-51).

143. A. Soulez, « Le paradigme de la vision de soi-même dans l'*Alcibiade majeur* », et J. Brunschwig (en 1973 et 1996) ont proposé du paradigme ici conçu des interprétations fouillées. Dans les notes qui suivent, je prends avant tout position par rapport à la plus récente des deux études de J. Brunschwig. Celle-ci poursuit toutefois pour partie la précédente, qui proposait notamment la traduction suivante des lignes 132e7-133a3 : « Tu as bien remarqué, n'est-

ce pas, lorsqu'on fixe son regard sur l'œil de quelqu'un, on voit apparaître sa propre figure dans la pupille de son vis-à-vis, comme dans un miroir, et c'est ce reflet que nous appelons précisément la petite fille [ou la poupée], parce que c'est une image en miniature de celui qui regarde ? – C'est exact. » (« Sur quelques emplois d'Opsis », p. 27-28).

144. La *kórē*, qui désigne la petite fille, puis la poupée et, par suite, la pupille ; voir la note 2 p. 75 de l'Introduction. Le terme désigne tout aussi bien l'image votive, et il introduit de ce fait le divin dans le paradigme. Des difficultés textuelles demeurent toutefois. Suivant le texte d'A. Carlini et, surtout, la traduction de J. Brunschwig, on donne ici à *eidōlon ón ti toû emblēpontos* la valeur explicative que lui réserve J. Brunschwig (voir la note précédente), pour qui la *kórē* n'est pas la pupille elle-même, mais la « poupée », c'est-à-dire l'image pupillaire que l'on voit dans la pupille. Et, à l'imitation toujours de J. Brunschwig, c'est *ópsei* (133a2) que l'on traduit par pupille (pour distinguer cette partie de l'organe oculaire de l'œil dans son ensemble).

145. Le *Phèdre* utilisera de nouveau l'exemple, en affirmant que la relation amoureuse rend possible la connaissance de soi, lorsque l'amant se voit dans son aimé, « comme en un miroir » (255d5-6, voir les remarques de M.-L. Desclos, *art. cit.*, p. 398).

146. Sur ce vocabulaire de la ressemblance, voir l'Introduction, p. 77-78. S'agissant du texte, A. Carlini a conjecturé un *ón* en 133a10 (pour que les deux constructions *hȏ toûto tugkhánei hómoion ón*, en 133a10 et b10, soient parfaitement identiques). La traduction n'en est aucunement affectée.

147. J. Brunschwig traduit ainsi : « L'œil ne se verra pas lui-même, s'il regarde une autre partie de l'homme <que la pupille>, ou tout autre objet, à moins que ce ne soit un objet auquel celui-ci se trouve être semblable » (*art. cit.*, 1973, p. 74). Comme J. Brunschwig le souligne, la comparaison en question est celle de la pupille et d'un objet réfléchissant (un miroir). Mais dans la mesure où le paradigme doit le suggérer par analogie, il me semble qu'on doit aussi comprendre que l'âme ne pourra se connaître elle-même, à son tour, qu'à deux conditions : soit en observant ce qui est excellent dans une autre âme (la réflexion), soit encore en tournant ses regards vers « un objet » auquel cette excellence de l'âme est semblable. Cet objet est nommé en 133b-c, il s'agit du divin.

148. L'excellence de l'œil est la fonction que cet organe accomplit mieux que tout autre (voir les remarques de la *République* I, 353b-c) ; quant à l'assimilation de l'intellect à l'œil de l'âme, voir *République* VII, 533d-e.

149. Ici (en 133b9) comme en 133b3, « l'endroit » de l'âme traduit *tòn tópon*, qu'on rend souvent et plus spontanément par « partie » de l'âme. Mais le vocabulaire des parties est ambigu ; Platon signale ici une pluralité d'éléments ou plutôt de fonctions psychiques, dont la *République* s'efforcera de prendre la mesure et qu'elle tâchera de prendre en compte, en distinguant trois fonctions

psychiques distinctes (l'intellect, l'ardeur, le désir ; voir *République* IV, 434d-445e), afin d'expliquer comment une même âme peut connaître ou non certains objets, peut connaître des objets distincts de différentes manières, ou encore, peut désirer des choses dont elle sait pourtant qu'elles sont mauvaises. L'âme pourra alors être définie comme le sujet unique de dispositions ou de fonctions distinctes, qu'il s'agit d'harmoniser. Cette pluralité fonctionnelle est suggérée ici par l'usage d'un vocabulaire spatial (*tópos* désigne un lieu, une région d'un même territoire, celui d'une même cité par exemple), qui paraît mieux convenir à l'unité plurielle psychique que le vocabulaire physiologique des parties (ainsi Platon n'emploie-t-il pas, par exemple, le terme *méros*). Pour un aperçu de l'importance de cette question dans le développement sur l'âme du *Timée*, voir J.-F. Pradeau, « L'âme et la mœlle. Les conditions psychiques et physiologiques de l'anthropologie dans le *Timée* de Platon », *Archives de philosophie*, 61, 1998, p. 489-518.

150. L'excellence de l'âme est ici la *sophía* ; certains éditeurs et commentateurs veulent supprimer cette incise du texte, comme une glose ajoutée (c'est notamment le cas de F. Ast et d'E. Dönt, puis récemment de J. Brunschwig, 1996, p. 75). Pour embarrassante que puisse sembler cette incise, elle s'accorde toutefois très bien avec les pages précédentes et l'objet même de la réfutation socratique (qui devait précisément établir que la *sophía* fait défaut à Alcibiade ; voir 123d et, surtout, la discussion sur le savoir des pages 118c-119a). Je comprends ici que le savoir est l'objet de l'activité qui est l'excellence de l'âme, la réflexion. De la sorte, le paradigme aura permis de mettre au jour le soi-même qu'est l'intellect, son activité (ou puissance) qu'est la réflexion et son objet, le savoir.

151. D'après l'argument précédent (exposé *supra*, note 147), cette autre chose à laquelle cet endroit de l'âme est semblable est le divin.

152. Il faut comprendre que l'excellence de cet endroit (sujet de la *phrónēsis*) est divine. L'établissement du texte de l'incise (133c6-7) fait l'objet de discussions. Le plus souvent, à la suite notamment de Proclus (*Commentaire sur le Timée*, III, 103, 4-5D ; *Théologie platonicienne*, I, 15-16) mais aussi et surtout de tous les manuscrits de l'*Alcibiade*, les éditeurs choisissent de lire *theón te kaì phrónēsin* (« le dieu et la réflexion », qui sont donc les deux éléments du divin dans sa totalité). Certains éditeurs ont toutefois proposé divers amendements au texte, selon qu'ils préféraient lire *noûn* (comme Ast en 1809 ou A. Carlini en 1964, voir la bibliographie) ou *théan* (L. Havet en 1921) en lieu et place de *théon*, pour délivrer la proposition de son caractère redondant (le divin serait le dieu et la réflexion) et ambigu (comment comprendre, en effet, que l'âme soit *elle-même* dieu ?). Jacques Brunschwig a défendu récemment la leçon unanime des manuscrits en indiquant qu'on devait simplement comprendre que la divinité de l'âme consistait en ceci qu'elle est capable, du fait de son excellence (la réflexion), de prendre pour modèle le dieu. Nous le suivons là encore et d'autant plus volontiers

que Platon tient à souligner ici que l'adjectif divin qualifie aussi bien le dieu lui-même que l'intellect (notamment humain) : le champ d'extension du divin est plus vaste que celui de la communauté des seuls dieux traditionnels. De la sorte, il n'est pas indispensable de partager le doute de L. Robin, qui voit dans cette incise une glose chrétienne. Je lis l'incise comme une précision de ce que recouvre cet ensemble que constitue le divin comme genre, dont le dieu et la réflexion sont deux espèces.

153. Dans le livre XI de sa *Préparation évangélique*, Eusèbe de Césarée (265-340) ajoute ici au dialogue quatre répliques qui ne figurent pas dans les manuscrits et que nous ne traduisons pas pour cette raison qu'elles sont de toute évidence une glose, qu'on retrouvera au siècle suivant dans la compilation de Stobée, mais qu'on ne trouve pas, par exemple, dans un commentaire médioplatonicien anonyme de l'*Alcibiade* rédigé sans doute au tournant des IIe et IIIe siècles, qui lit 133c21 à la suite de 133c6, sans connaître la glose des lignes 133c8-133c17 (voir F. Lassere (1991), « Anonyme, Commentaire de l'*Alcibiade I* de Platon »). Voir les explications de l'Annexe 2, p. 221-227.

154. La vérification de la *propriété* des qualités ou des biens (la vérification que ce qui est à nous est bien à nous) suppose donc la connaissance de ce que nous sommes en propre. Le sens même de l'expression « nous est propre », « est à nous », est désormais différent, selon qu'on se connaît ou non soi-même.

155. On retrouve ici et encore maintenu le parallèle qui associe l'ordre individuel et collectif ou public. Voir, *supra*, la note 81 de la traduction.

156. Socrate insiste de nouveau sur l'équivalence qui associe la tempérance individuelle à la justice collective. Voir, *supra*, la note 115 de la traduction.

157. A. Carlini a choisi d'écarter comme apocryphes les lignes 134d1-e7, dont le vocabulaire lui a semblé par trop néoplatonicien ; nous ne le suivons pas (la raison de ce choix figure dans l'Annexe 2).

158. *Tò theîon kaì lampròn.* C'est la présence de ce dernier terme, qui paraît faire écho à *lamprótera* et *lampróteron* (qu'on trouve en 133c9 et 11, c'est-à-dire seulement dans la glose rapportée par Eusèbe), qui a valu aux lignes 134d1-7 la suspicion d'A. Carlini, qui propose de les tenir elles aussi pour une glose postérieure et de les écarter, au motif de leur accent néoplatonicien (voir « Studi sul testo della quarta tetralogia platonica » et la discussion de ces réserves par G. Favrelle, dans son commentaire au livre XI de la *Préparation évangélique* d'Eusèbe, Paris, Cerf, 1982, dont je reprends l'argument dans l'Annexe 2, *infra*, p. 221-227). Il me semble au contraire que la glose eusébienne infléchit l'usage de *lamprón* dans le sens d'une luminosité et d'un éclat divins, là où Platon tire simplement la leçon de son paradigme, en réservant au terme « brillant » la qualité optique de ce qui éclaire le mieux. C'est ce que montre l'usage qu'en font la *République* X, 616b6 et e6, le *Timée* 46b3 (où l'on retrouve l'exemple de l'œil et du miroir) et 68a-b (où le « bril-

lant » est défini comme une couleur) et surtout le *Phèdre*, 250b, qui distingue la vue « brillante » de représentations floues. En ce sens, *lamprón* qualifie la parfaite clarté de la perception visuelle (ou bien encore, selon le paradigme, la clarté de la connaissance). Dire qu'il convient de regarder le divin et le brillant, c'est dire qu'il faut observer ce qui est parfait et clair.

159. C'est en un sens le programme de la *République*, qui s'efforcera d'ordonner l'organisation de la constitution politique à la perfection du modèle céleste (selon la remarque de IX, 592b).

160. « Convenablement » rend *orthṓs* ; voir la note 1 p. 37 de l'Introduction.

161. Ils sont dépourvus du *noûs*, qui est bien en l'homme le sujet (divin) de la réflexion ; l'intellect est le nom qui convient au « soi-même lui-même » puisqu'il est, en l'âme, le sujet de la réflexion. C'est ce qui poussait le néoplatonicien Porphyre, dans son traité perdu *Sur le connais-toi toi-même*, à associer le précepte delphique non seulement à la tempérance, mais aussi et surtout à la réflexion et à l'intellect (voir l'argument conservé par Stobée, *Anthologie*, III, 21, 26-27). L'*Alcibiade* ne propose toutefois aucune définition de l'intellect. On devrait se garder de rapporter cette mention aux exposés plus élaborés qu'en donnent les derniers dialogues ultérieurs (et notamment le *Timée*). De ce point de vue, les remarques d'E. Dönt sur la ressemblance qui existe entre la fin de l'*Alcibiade* et les dialogues de la période « moyenne » de Platon (le *Phèdre* surtout) peuvent sembler un peu forcées (voir « "Vorneuplatonisches" im *Grossen Alkibiades* », p. 41 sq.).

162. La tyrannie en question n'est pas simplement un épouvantail, elle est le terme qui convient le mieux au pouvoir solitaire qu'exerce un stratège sur la cité. De ce point de vue, le pouvoir de Périclès (à propos duquel Thucydide soulignait que, « sous le nom de démocratie, c'était en fait le premier citoyen qui gouvernait », II, 65, 9) est une forme de tyrannie.

163. Le méchant (*kakós*) s'entend en deux sens, ici mêlés, selon qu'il désigne celui qui n'est pas bon et à qui la vertu fait défaut (le méchant est celui qui commet l'injustice, dit le *Lysis* 214b-d), ou celui auquel font défaut les qualités ou attributs sociaux communément estimés. Dans ce second sens, le méchant est simplement celui qui ne sait rien faire. Cette signification double suit bien sûr celle du terme bon (qui se disait à la fois en un sens moral et en un sens littéralement technique, lorsque bon signifie apte). Le « méchant » est un inapte. Et pour cette raison, puisqu'il ne peut se servir de rien, il ne fera lui-même que servir. La mention de la « mauvaise nature qui est le propre de l'esclave », qui vise à humilier l'aristocrate Alcibiade, est une proposition politique : à ceux qui sont incapables d'excellence, Platon réserve le dernier rang. Il n'est aucunement question pour lui, comme il le sera pour Aristote, de justifier l'existence d'une « nature » servile. L'analyse qu'Aristote consacre à l'esclavage dans les *Politiques*, I, 3-7, plus particulièrement au cha-

pitre 5, paraît suivre très fidèlement les distinctions des six dernières pages de l'*Alcibiade*.

164. Cette méprise prouve tout de même qu'Alcibiade n'a pas compris Socrate, et qu'il paraît incapable de sortir de la relation d'obéissance et de fascination que lui inspire son curieux amant.

165. On rend différemment (« suivre », « être pédagogue ») le même verbe, *paidagōgeîn*, qui désigne littéralement l'accompagnement des enfants, leur suivi. Le verbe signifie alors et aussi bien le fait de suivre quelqu'un comme on suit (et surveille) un enfant, que le fait d'instruire cet enfant (en pédagogue).

166. Comme le note L. Robin, « d'après la légende, les vieilles cigognes se faisaient nourrir par leurs petits » (voir Aristote, *Histoire des animaux*, IX, 13).

167. Cette dernière menace a valeur de présage, quand on sait ce qu'il advint effectivement de Socrate et d'Alcibiade (ce dernier revient sur son engagement non tenu dans le *Banquet*, 216a sq.). Elle dissocie aussi, pour la première fois, le particulier de la cité, au point de les imaginer en conflit. C'est là conséquence des remarques qui précèdent : un particulier peut être seul et par lui-même excellent. La difficulté est proprement politique : comment un particulier excellent peut-il améliorer des concitoyens ignorants ou récalcitrants ? Il lui faudra se doter d'une puissance, exercer un pouvoir.

ANNEXE 1

*Tableau récapitulatif des prises de position relatives à l'authenticité de l'*Alcibiade *(de D.F.E. Schleiermacher à D.S. Hutchinson)*

Afin de donner un aperçu synoptique des débats relatifs à l'authenticité du dialogue, le tableau suivant mentionne le jugement des principaux lecteurs modernes, selon qu'ils tiennent l'*Alcibiade* pour authentique (1), douteux (2) ou apocryphe (3).

Commentateurs	Authenticité et hypothèse chronologique
Schleiermacher 1828	3 (ouvrage scolaire rédigé à l'Académie).
Croiset 1920	1 (dialogue de jeunesse).
Havet 1921	1
Friedländer 1921 à 1964	1 (entre les dialogues « aporétiques » et le *Gorgias* et la *République*).
Burnet 1924	3 (ouvrage scolaire platonicien rédigé à l'Académie).
Shorey 1933	2 (paraît être une imitation de Platon).
Robin 1935 et 1950	1 (entre les dialogues de jeunesse et les dialogues « aporétiques »).
Vink 1939	1 (dialogue de jeunesse).
De Strycker 1942	3 (ouvrage scolaire platonicien rédigé à l'Académie par un élève proche, peut-être révisé par Platon lui-même ; l'auteur est peut-être Speusippe).
Goldschmidt 1947	1 (dialogue de jeunesse).
Taylor 1950	3 (ouvrage scolaire rédigé à l'Académie).

Commentateurs	Authenticité et hypothèse chronologique
Bluck 1953	3 (rédigé par un membre de la première génération de l'Académie, vers 343).
Clark 1955	3 et 1 (les deux premiers tiers sont d'un élève de Platon, le dernier tiers est de Platon).
Motte 1961	1 (dialogue de jeunesse).
Carlini 1964	1 (au prix de corrections aux pages 133-134).
Dönt 1964	3 (pas d'hypothèse de datation).
Weil 1964	1 (dialogue de vieillesse contemporain de la rédaction des *Lois*).
Bos 1970	3 (rédigé par un membre de la première génération de l'Académie, vers 348).
Brunschwig 1973 et 1996	3 (pas d'hypothèse sur l'auteur présumé).
Vlastos 1973	3 (rédigé une ou deux générations après Platon).
Linguiti 1981 et 1983	3 (rédigé par un membre de la première génération de l'Académie).
Annas 1985	1 (dialogue de jeunesse).
Dixsaut 1985	3 (ouvrage scolaire de l'Académie).
Forde 1987	1 (pas d'hypothèse de datation).
Zaragoza 1992	1 ou 2 (Platon ou un imitateur contemporain et proche).
Goldin 1993	1 (peut-être un dialogue de la maturité).
Laurent 1994	1 (peut-être un dialogue de vieillesse).
Desclos 1996	1 (pas d'hypothèse de datation).
Hutchinson 1997	2 (peut-être l'œuvre d'un membre de la première génération de l'Académie).

ANNEXE 2

*Remarque sur la glose eusébienne de l'*Alcibiade *133c8-16*
La réception judéo-chrétienne du paradigme de la vue

Eusèbe, évêque de Césarée (265-340), cite dans son ouvrage apologétique, la *Préparation évangélique* (rédigée c. 315 de notre ère) un long extrait de l'*Alcibiade.* Il s'agit de la partie de l'entretien final qui occupe la page 133a-c, à laquelle Eusèbe ajoute quatre répliques qu'on ne trouve par ailleurs que dans l'*Anthologie* d'extraits choisis composée par Stobée au ve siècle. Cet ajout, qui occupe les lignes 133c8-16, après le « C'est ce qu'il semble » d'Alcibiade, contient le texte suivant [1] :

SOCRATE

Et c'est parce que, de même que les miroirs sont plus clairs que le point réfléchissant de l'œil, plus purs et plus lumineux, de même Dieu aussi se trouve être plus pur et plus lumineux que la partie la meilleure de notre âme.

ALCIBIADE

Il semble bien, Socrate.

SOCRATE

En portant le regard vers Dieu, donc, nous pourrions nous servir de lui comme du miroir le meilleur, même des choses humaines, en vue

1. Cité dans la traduction de G. Favrelle, Eusèbe, *Préparation évangélique*, Livre XI, 5, 8-16, Paris, Cerf, 1982.

de la vertu de l'âme, et ainsi nous nous verrions et nous nous connaîtrions nous-mêmes au mieux ?

ALCIBIADE

Oui.

Les commentateurs contemporains ont accordé énormément d'importance à cet ajout, d'autant plus que ses accents théologiques marqués leur ont semblé être la preuve du caractère apocryphe de l'*Alcibiade*. Mais encore, à supposer même qu'on ne retienne pas un ajout, qui n'a pour lui que l'autorité d'Eusèbe puis de Stobée, comme l'indice de ce que d'autres passages du dialogue pouvaient très bien à leur tour avoir été rédigés tardivement. Ainsi A. Carlini, qui attribue la paternité de l'*Alcibiade* à un disciple immédiat de Platon, a-t-il proposé non seulement d'écarter l'ajout eusébien, mais aussi et à sa suite les lignes 134d1-134e7, dont l'accent néoplatonicien lui semble suspect [1]. Dans une autre perspective, mais toujours parmi les adversaires de l'authenticité, J. Brunschwig a au contraire récemment défendu l'ajout eusébien, qui ne lui paraît finalement guère trancher sur le fond « théologique » des dernières pages de l'*Alcibiade* [2].

1. A. Carlini, « Studi sul testo della quarta tetralogia platonica », qui précise notamment que le ton et la signification « mystiques » des remarques sur la lumière et le divin (l'opposition de *lamprón* et de *skoteinón*) font davantage songer à Plotin qu'à Platon.

2. « La déconstruction du Connais-toi toi-même », p. 71, n. 11, où J. Brunschwig (1996) estime avec A. Carlini qu'il est difficile d'écarter les lignes 133c8-16 tout en conservant celles qui, en 134d1-e7, en partagent pourtant le vocabulaire et semblent surtout y renvoyer (« comme nous le disions tout à l'heure », 134d4-5). Mais comme J. Brunschwig le signale aussitôt, les lignes 134d1-e7 figurent dans les manuscrits et ne sont pas interpolées par un même interpolateur avec les lignes 133c8-16 ; c'est la raison pour laquelle leur origine n'est probablement pas la même. À la différence d'A. Carlini, je défends donc l'authenticité du second passage, et je suppose, à la différence cette fois de R.S. Bluck (1953) (« The Origin of the *Greater Alcibiades* », n. 2 p. 1) ou, désormais, de J. Brunschwig, qu'il peut être compris sans retenir la « glose eusébienne ». « Comme nous le disions tout à l'heure » renvoie simplement à l'hypothèse selon laquelle c'est en portant notre regard sur l'ensemble du divin (le dieu aussi bien que la réflexion) que nous nous connaîtrons nous-mêmes (133c5-7). Que le divin soit qualifié de « brillant » en 134d5 en est une conséquence admissible.

Enfin, parmi les défenseurs de l'authenticité du dialogue, certains commentateurs ont voulu retenir cette glose, la considérant comme authentique [1].

Les remarques qui suivent s'attachent à justifier l'éviction de cet ajout hors du texte de l'*Alcibiade*, au motif qu'il n'est qu'une glose postérieure à la rédaction du dialogue, probablement rédigée dans le contexte apologétique judéo-chrétien des trois premiers siècles de notre ère.

La *Préparation évangélique* d'Eusèbe est une œuvre apologétique destinée, comme l'indique son titre, à *préparer* la conversion d'un public lettré et païen à la doctrine chrétienne. Dans le contexte encore très conflictuel qui fait suite aux persécutions [2], Eusèbe tente d'attirer au christianisme des païens cultivés [3]. C'est à leur attention que la *Préparation évangélique* est rédigée de manière à prouver la convergence des arguments de la philosophie hellénique (et principalement platonicienne) et de l'enseignement des Hébreux, avant d'expliquer comment la première doit ce qu'elle a de vrai et de meilleur au second. Car la philosophie des Grecs, c'est un lieu commun de la première apologétique chrétienne, ne doit sa valeur qu'à son talent de plagiaire : « Les Grecs, qui n'ont rien apporté de leur cru à part leur habileté verbale et leur facilité d'élocution, qui ont tout pillé chez les Barbares, n'ont pas ignoré non plus les oracles des Hébreux » (livre XI, préambule, 1).

Dans le livre XI de la *Préparation évangélique*, Eusèbe entreprend ainsi de montrer, textes à l'appui, comment la philosophie platonicienne tire tout ce qu'elle a de vrai du

1. En dernier lieu, A. Motte (1961), « Pour l'authenticité du *Premier Alcibiade* », p. 27, qui estime la glose eusébienne « indispensable à la bonne compréhension du texte ». Ce faisant, A. Motte accepte l'hypothèse selon laquelle les lignes 133c8-16 seraient, en un sens, le couronnement du paradigme : la reconnaissance de soi en Dieu (je paraphrase la manière dont E. Dönt, contre P. Friedländer, défend le maintien de la glose eusébienne ; voir « " Vorneuplatonisches " im *Grossen Alkibiades* », p. 39-40).

2. Notamment sous Dioclétien, durant les dix premières années du IVe siècle.

3. Sur la réticence des élites de culture grecque à l'égard d'une religion si irrationnelle que le christianisme, voir la présentation de J. Sirinelli, dans l'introduction au premier livre de la *Préparation évangélique*, Paris, Cerf, 1974, p. 76-84.

legs hébraïque [1]. C'est notamment le cas de la preuve platonicienne de l'immortalité de l'âme, dont Eusèbe soutient, dans les chapitres 27 et 28, qu'elle répète le dogme hébraïque de la ressemblance à Dieu. Platon, « comme s'il avait été instruit par Moïse » (XI, 27, 41), ne fait donc que retrouver le meilleur argument possible en faveur de l'immortalité de l'âme, lorsqu'il suppose qu'elle est immortelle parce que semblable à Celui qui l'a insufflée en l'homme. Eusèbe cite alors l'*Alcibiade*, afin de lui faire illustrer la similitude de l'âme humaine et du Dieu créateur, mais aussi de le convoquer à l'appui de l'hypothèse de l'existence d'un « homme véritable », « intérieur » à tout individu, de cet homme vrai qui est « le guide intérieur en affinité avec le guide universel ». Ce guide, c'est l'intellect humain, « qui est divin et capable de connaissance parce qu'il porte la ressemblance du Dieu suprême » (selon la formule de VII, 4, 3). Ainsi se trouveraient rationnellement expliquées la parenté essentielle de l'homme et de son Créateur et la capacité du premier à atteindre sa véritable nature, celle de « la ressemblance divine de la substance divine qui est en nous [2] ». Cette démonstration chrétienne de la ressemblance du Dieu créateur et de la première de ses créatures trouve dans le thème stoïcien d'un guide intérieur et divin un argument de poids : cela même qui permet la pensée rationnelle, c'est la nature et l'origine divines, en nous, de la raison [3]. Citant l'*Alcibiade*, Eusèbe en fait ainsi l'un des meilleurs témoignages païens de la parenté (*suggéneia* [4]) qui, *via* l'âme, assimile l'homme à Dieu.

1. Cette comparaison et la démonstration de l'héritage hébraïque occupent les livres XI à XIII de la *Préparation évangélique*.

2. Voir notamment *Préparation évangélique*, VII, 17-18 (je cite VII, 18, 10), où Eusèbe s'appuie sur l'exégèse que Philon a donnée du début de la Genèse.

3. Pour les stoïciens, l'âme (qui est un souffle psychique corporel) compte un certain nombre de parties dont la principale est appelée « hégémonique » (et parfois assimilée au *noûs* ; sur la psychologie stoïcienne, voir la présentation de J.-B. Gourinat, *Les Stoïciens et l'âme*, Paris, PUF, 1996). Par son aptitude à s'identifier à la raison universelle, la partie hégémonique de l'âme est en l'homme comme une sorte de *daimōn* intérieur qui guide les autres parties de l'âme, le véritable sujet rationnel et divin (voir notamment A.A. Long, « Soul and Body in Stoicism », dans les *Stoic Studies*, Cambridge, Cambridge University Press, 1996, p. 224-249).

4. Outre l'étude citée de J. Pépin (notamment le chapitre IV sur

Comme G. Favrelle le montre de façon convaincante et précise dans le commentaire qu'elle donne du livre XI de la *Préparation évangélique* (p. 350-374), l'ajout d'Eusèbe présente toutes les caractéristiques d'une glose. Introduit par la locution « Et c'est parce que », le texte interpolé paraît effectivement n'être autre chose qu'une explication du caractère réfléchissant de l'œil, au bénéfice d'une lecture strictement théologique du paradigme platonicien, qui ne suppose pourtant nullement ce qui fait son apparition avec les quatre répliques : une comparaison et la mention d'une parenté entre notre âme et Dieu lui-même. Cette explication monothéiste, qui substitue au « divin » platonicien la *personne divine* de la Bible, si elle permet de donner de l'*Alcibiade* une lecture qui convient à la tradition judéo-chrétienne de la *suggéneia*, n'en demeure pas moins étrangère au paradigme platonicien dont l'objet n'est pas d'établir que Dieu est le miroir de l'âme, mais que l'excellence de l'âme est divine. La nuance est d'autant plus considérable que le vocabulaire du « divin » ne recouvre nullement, de Platon à ses interprètes juifs ou chrétiens, le même type de réalités. Non seulement parce que le monothéisme biblique des interprètes, au moins quatre siècles plus tard, n'est plus le polythéisme du citoyen athénien, mais déjà et surtout parce que la définition proprement platonicienne du divin remet en cause la représentation traditionnelle qu'en donnait la religion grecque [1]. Ce que suggère le paradigme de l'*Alcibiade*, c'est qu'en observant une âme qui réfléchit, comme Alcibiade devrait pouvoir

---

le rôle de l'anthropologie stoïcienne dans la tradition relative à la *suggéneia*), voir sur cette question É. Des Places, *Syngeneia. La parenté de l'homme avec Dieu, d'Homère à la patristique*, Paris, Klincksieck, « Études et commentaires », 51, 1964.

1. Dans la religion grecque, le dieu est défini comme un être immortel, quand l'homme reste mortel. Platon retient cette distinction, mais il en modifie considérablement le champ d'application : tout ce qui peut être considéré comme immortel peut être qualifié de « divin » et appelé « dieu ». Le divin embrasse alors non seulement les dieux et les démons traditionnels, dont Platon dénonce les représentations poétiques courantes au motif qu'elles décrivent des dieux injustes et querelleurs, mais aussi les astres ou encore l'espèce intellective de l'âme, qui est présente en l'âme humaine (voir les explications de la *République* II, 378e-383a, et du *Phèdre* 249b-d et 252b-c) ; que la réflexion fasse partie de la totalité du divin, en *Alcibiade* 133c5-6, est l'une des conséquences de cette importante extension conceptuelle.

le faire en observant Socrate, on apercevra à la fois que l'intellect sujet de la réflexion est divin, et que son modèle est divin à son tour. La divinité de l'intellect est bien sûr l'élément que privilégie la tradition biblique de la *suggéneia*, mais la glose eusébienne en use dans un dispositif bien différent, qui s'efforce de produire la démonstration que *Dieu lui-même* est le meilleur des miroirs. Rien de tel chez Platon.

Les quatre répliques de 133c8-16, si elles sont une glose tardive, attestent cependant l'ancienneté de l'interprétation judéo-chrétienne de la fin de l'*Alcibiade* [1]. Eusèbe, qui n'est manifestement pas l'auteur de la glose, cite probablement de bonne foi cet extrait déjà *augmenté*, et il n'est pas exclu (comme G. Favrelle le suppose, p. 354) qu'il n'ait jamais lu le reste du dialogue. C'est en effet et *a posteriori* ce que devrait montrer l'existence déjà ancienne, en des termes identiques à ceux de la *Préparation évangélique*, du motif de la « ressemblance à Dieu », tel qu'il apparaît déjà dans l'œuvre de l'exégète juif Philon d'Alexandrie (c. 30 av. J.-C.-45 apr. J.-C.).

Dans le *De opificio*, Philon commente les deux premiers chapitres de la Genèse en les rapportant au *Timée* de Platon, afin de montrer comment l'essentiel de la cosmologie du second ne fait qu'exprimer et développer le témoignage mosaïque. Reprenant les termes et les principales leçons du *Timée* (le travail du démiurge façonnant l'univers, l'utilisation d'un modèle intelligible pour forger le monde sensible et les différentes espèces de vivants), Philon explique ainsi la pensée de Moïse, qui « avait atteint la cime de la philosophie » (§ 8), en lui donnant pour autorité cette cosmologie grecque qui, si elle montre une certaine spécificité terminologique (Platon nomme « démiurge » le Dieu créateur, ou bien encore « formes intelligibles » ce qui ne peut être que les pensées de Dieu [2]), reste parfaitement tributaire de la

1. Ce qui est probable s'agissant d'Eusèbe devient manifeste avec Stobée. Dans son *Anthologie* (où l'ajout est cité en III, 21, 24), comme le fait encore remarquer G. Favrelle, le « collage » est encore plus indiscutable (les lignes 133c8-16 y figurent isolées, entre deux autres développements distincts : « Stobée révèle la pièce rapportée par la maladresse de sa couture », p. 374).

2. On retrouve chez Eusèbe cette identification de l'Intelligible platonicien et du Verbe (*lógos*) divin (notamment au livre XI de la *Préparation évangélique*, 24, 12, qui cite à son appui Philon, mais aussi Clément, cinquième *Stromate*). L'origine de cette hypothèse selon laquelle les Idées sont l'intellection de Dieu est sans doute

pensée hébraïque, c'est-à-dire bien sûr de la vérité. Là encore et bien avant Eusèbe, l'apologie s'appuie sur la démonstration de la parenté qui existe entre le Créateur et ce qu'il y a de meilleur en l'homme. L'homme est *à l'image* de Dieu, et son intellect est divin. Afin d'expliquer la parole de la Genèse (« l'homme a été façonné à l'image de Dieu », I, 27), Philon insiste à plusieurs reprises dans le *De opificio* sur le fait que la parenté qui lie l'homme à Dieu est d'autant plus forte qu'elle n'est pas corporelle, mais propre à la pensée, à l'intellect (§ 25 [1]). Philon distingue nettement l'ensemble de l'âme de sa partie directrice (son « hégémonique »), celle qui, précisément, apparente l'homme à Dieu. Dans le traité *Quis rerum divinarum heres sit*, Philon a recours à une comparaison, donnée pour courante, entre l'âme et l'œil : « On emploie en effet le mot " âme " en deux sens, pour désigner soit l'ensemble, soit la partie directrice, qui est à proprement parler l'âme de l'âme – de même que le mot " œil " désigne soit le globe tout entier, soit la partie la plus importante, celle par laquelle nous voyons » (§ 55). Cette comparaison et la fonction qui est la sienne, établir en l'âme humaine la parenté avec Dieu, sont bien celles qu'on retrouvera chez les Pères chrétiens [2].

Dans cette tradition d'exégèse biblique apologétique, qui remonte donc au moins jusqu'à Philon et dont Eusèbe n'est de toute évidence qu'un héritier tardif, la fin de l'*Alcibiade* semble bien avoir été lue comme une illustration platonicienne de la *suggéneia*, d'une parenté qui a le *noûs* pour lien. Comme l'écrivait déjà Philon, l'homme fut gratifié par Dieu « d'un intellect éminent, sorte d'âme de l'âme, telle la pupille dans l'œil ; effectivement, ceux qui étudient avec plus

médio-platonicienne (voir notamment le témoignage d'Alcinoos, *Enseignement des doctrines de Platon* [*Didaskalikos*], IX).

1. Puis § 66 sq. ; sur l'exégèse philonienne du *Timée* comme sur la pensée de Philon dans son ensemble, voir D.T. Runia, *Philo of Alexandria and the* Timaeus *of Plato*, Leyde, Brill, 1986, puis, du même auteur chez le même éditeur, le recueil d'études *Philo and the Church Fathers*, 1995.

2. L'influence de la pensée de Philon sur les Pères chrétiens fut favorisée d'abord par l'écho que lui firent les œuvres de Clément d'Alexandrie et d'Origène ; voir la présentation qu'en donne D.T. Runia dans le recueil cité, « Platonism, Philonism and the Beginnings of Christian Thought », p. 1-24, puis « Philo and Origen : a Preliminary Survey », p. 117-125.

d'exactitude les propriétés des choses disent que la pupille est l'œil de l'œil » (*De opificio*, § 66). Devant cet œil de l'âme humaine, la tradition biblique posera le meilleur miroir possible, Dieu lui-même, et c'est en Dieu que se connaîtra l'homme. Le paradigme du miroir aura donc changé de fonction depuis l'*Alcibiade*.

BIBLIOGRAPHIE

La bibliographie qui suit ne répertorie, outre les principales éditions et traductions de l'Alcibiade, que les livres et articles mentionnés dans l'Introduction et les notes. Pour la compléter, on se rapportera aux bibliographies platoniciennes publiées tous les cinq ans dans la revue *Lustrum*. Par H. Cherniss (*Lustrum*, 4 et 5, 1959 et 1960), puis, depuis 1977, par L. Brisson (*Lustrum*, 20, 25, 26, 30, 31 et 35).

*Éditions et traductions principales de l'*Alcibiade (par ordre chronologique) :

Schleiermacher, F., *Platons Werke* [traduction], II 3, Berlin, G. Reimer, 1809, 1861[3].

Burnet, J., *Platonis Opera* [édition], tome II, Tétralogies III-IV, Oxford, 1901.

Croiset, M., *Platon : Œuvres complètes*, tome I, *Hippias mineur, Alcibiade, Apologie de Socrate, Euthyphron* et *Criton* [édition et trduction], Paris, Les Belles Lettres, 1920. Cette traduction a été publiée séparément, revue et introduite par M.-L. Desclos, Paris, Les Belles Lettres, « Classiques en poche », 1996.

Robin, L., *Platon : Œuvres complètes* [traduction], Paris, Gallimard, 1950.

Carlini, A., *Platone : Alcibiade, Alcibiade secondo, Ipparco, Rivali* [édition et traduction], Turin, Boringhieri, 1964.

Lord, C., *Albiciades* [traduction], dans T.L. Pangle (ed.), *The Roots of Political Philosophy. Ten Forgotten Socratic Dialogues*, Ithaca et Londres, Cornell University Press, 1987, p. 175-221.

Zaragoza, J., *Alcibiades* [traduction], dans *Platón, Diálogos dudosos, apócrifos y cartas*, Madrid, Gredos, 1992.

Hutchinson, D.S., *Alcibiades* [traduction], dans J.M. Cooper (ed.), *Plato, Complete Works*, Indianapolis, Hackett, 1997, p. 557-595.

Études

Allen, R.E., « Note on *Alcibiades I*, 129b1 », *American Journal of Philology*, 83, 1962, p. 187-190.

Annas, J., « Self-Knowledge in Early Plato », dans D.J. O'Meara (ed.), *Platonic Investigations*, Washington, Catholic University of America, coll. « Studies in philosophy and the history of philosophy », vol. 13, 1985, p. 111-138.

Blitz, M., « Plato's *Alcibiades I* », *Interpretation*, 22, 1995, p. 339-358.

Bluck, R.S., « The Origin of the *Greater Alcibiades* », *Classical Quarterly*, N.S. 3, 1953, p. 46-52.

Bos, C.A., *Interpretatie, vaderschap en datering van de* Alcibiades Maior, Culemborg, Willink-Noorduijn, 1970.

Brunschwig, J., « Sur quelques emplois d'Opsis », *Zetesis* (Mélanges E. de Strycker), Anvers/Utrecht, 1973, p. 24-39.

Brunschwig, J., « La déconstruction du " Connais-toi toi-même " dans l'*Alcibiade majeur* », *Recherches sur la philosophie et le langage*, 18, 1996.

Carlini, A., « Studi sul testo della quarta tetralogia platonica », *Studi Italiani di Filologia Classica*, N.S. 34, 1963, p. 169-189.

Clark, P.M., « The *Greater Alcibiades* », *Classical Quarterly*, N.S. 5, 1955, p. 231-240.

Decominette, E., *Sur l'authenticité du* Premier Alcibiade, Liège, 1949.

Denyer, N., « Emendatio in Platonis Alcibiadem Priorem 128e10 », *Eos*, 80, 1992, p. 219.

Desclos, M.-L., « " Le renard dit au lion... " (*Alcibiade majeur*, 123a), ou Socrate à la manière d'Ésope », dans B. Cassin et J.-L. Labarrière (éd.), *L'Animal dans l'Antiquité*, Paris, Vrin, 1997, p. 395-422.

Dönt, E., « " Vorneuplatonisches " im *Grossen Alkibiades* », *Wiener Studien*, 77, 1964, p. 37-51.

Forde, S., « On the *Alcibiade I* », dans T.L. Pangle (ed.), *The Roots of Political Philosophy. Ten Forgotten Socratic Dia-*

logues, Ithaca et Londres, Cornell University Press, 1987, p. 222-239.

Foucault, M., *Histoire de la sexualité*, II, *L'Usage des plaisirs*, Paris, Gallimard, 1984.

Foucault, M., Cours au Collège de France, année 1982 (cités d'après des enregistrements).

Friedländer, P., *Der* Grosse Alkibiades. *Kritische Erörterung*, Bonn, Cohen, 2 tomes, 1921-1923.

Friedländer, P., « Plato enters Rome », *American Journal of Philology*, 66, 1945, p. 337-351.

Friedländer, P., *Plato. The Dialogues*, traduction anglaise, corrigée et augmentée de *Platon : Die Platonischen Schriften* (Berlin, W. de Gruyter, 1928-30, puis 1957 [2]), par H. Meyerhoff, New York, Bollingen Foundation, 1964, 3 volumes (sur l'*Alcibiade*, II, p. 231-243).

Goldin, O., « Self, Sameness and Soul in *Alcibiades* and *Timaeus* », *Freiburger Zeitschrift für Philosophie und Theologie*, 40, 1993, p. 5-19.

Havet, L., « Platon, *Alcib.* 133c. », *Revue de philologie, de littérature et d'histoire anciennes*, 45, 1921, p. 87-89.

Laurent, J., « La mesure de l'humain dans l'*Alcibiade* et les *Lois* », *Philosophie*, 42, 1994, p. 16-45.

Linguiti, A., « Il rispecchiamento nel dio. Platone, *Alcibiade Primo*, 133c8-17 », *Civilta Classica e Cristiana*, 2, 1981, p. 253-270.

Linguiti, A., « Amicizia e conoscenza di sé nell'*Alcibiade Primo* e nelle *Etiche* di Aristotele », *Annali dell'Istituto di Filosofia di Firenze*, 5, 1983, p. 1-28.

Motte, A., « Pour l'authenticité du *Premier Alcibiade* », *Antiquité classique*, 1961, 30, p. 5-32.

Soulez-Luccioni, A., « Le paradigme de la vision de soi-même dans l'*Alcibiade majeur* », *Revue de métaphysique et de morale*, 79, 1974, p. 196-222.

Strycker E. de, « Platonica I. L'authenticité du *Premier Alcibiade* », *Les Études classiques*, 11, 1942, p. 135-151.

Tarrant, H., « *Meno* 98a. More Worries », *Liverpool Classical Monthly*, 14, 1989, p. 121-122.

Taylor, R., « Persons and Bodies », *American Philosophical Quarterly*, 16, 1979, p. 67-72.

Vink, C., *Plato's* Eerste Alcibiades. *Een onderzoek naar zijn authenticiteit*, Amsterdam, H. J. Paris, 1939.

Vlastos, G., « Plato's Testimony concerning Zeno of Elea », *Journal of Hellenic Studies*, 95, 1973, p. 136-172.

Weil, R., « La place du *Premier Alcibiade* dans l'œuvre de Platon », *L'Information littéraire*, 1964, 16, p. 75-84.

Textes anciens (par ordre chronologique ; les passages indiqués entre crochets signalent des analyses philosophiques du précepte delphique ou des réminiscences explicites de l'*Alcibiade*. Les éditions ou traductions citées ci-dessous sont simplement les plus accessibles au lecteur français ; elles ne sont ni les plus récentes ni toujours les meilleures)

Xénophon, *Memorabilia*, édition et traduction anglaise par O.J. Todd, Cambridge (Massachusetts) et Londres, Harvard University Press, 1923 [III, 7-9, et IV, 2 et 7].

Aristote, *Fragments,* édition de V. Rose (Leipzig, 1886 pour la dernière version), traduction anglaise par W.D. Ross, *The Works of Aristotle*, vol. XII, *Select Fragments*, Oxford, Clarendon Press, 1952.

Aristote, *Éthique à Eudème*, traduction par V. Décarie, Paris, Vrin, 1978 [VII, 9-12].

Aristote, *Éthique à Nicomaque*, traduction et commentaire par R.-A. Gauthier et J.-Y. Jolif, Louvain/Paris, Nauwelaerts, 2 vol., 1970² [IV, 9 ; VIII, 2 et IX, 9].

Pseudo-Aristote, *Magna Moralia*, édition et traduction anglaise par G.C. Armstrong, Cambridge (Massachusetts) et Londres, Harvard University Press, 1935, p. 426-685 ; traduction française par C. Dalimier, *Les Grands livres d'éthique*, Paris, Arléa, 1992 [II, 15].

Cornelius Nepos, *Œuvres,* édition et traduction par A.-M. Guillemin, Paris, Les Belles Lettres, 1923 [VII, *Alcibiade*, p. 37-49].

Cicéron, *L'Amitié*, édition et traduction par R. Combès, Paris, Les Belles Lettres, 1971, VII, 23.

Cicéron, *Tusculanes*, édition et traduction par G. Fohlen et J. Humbert, Paris, Les Belles Lettres, 2 vol., 1931 [I, 22 et 66-71 ; III, 32].

Cicéron, *Des termes extrêmes des Biens et des Maux*, édition et traduction par J. Martha, Paris, Les Belles Lettres, 2 vol., 1928-1930 (édition revue par C. Lévy et C. Rambaux en 1989 et 1990) [V, 12-13 et 16].

Philon, *De opificio mundi*, édition et traduction par R. Arnaldez, Paris, Cerf, 1961.

Philon, *Quis rerum divinarum heres sit*, édition et traduction par M. Harl, Paris, Cerf, 1966.

Épictète, *Entretiens*, traduction par É. Bréhier (revue par P. Aubenque), dans *Les Stoïciens*, Paris, Gallimard, 1962 [III, 1, 19 et 42 ; puis III, 2, 12, 22].

Plutarque, *Vies parallèles : Alcibiade-Coriolan*, édition et traduction par R. Flacelière et É. Chambry, Paris, Les Belles Lettres, 1964.

Plutarque, *De facie quae in orbe lunae apparet*, édition et traduction anglaise par H. Cherniss, Cambridge (Massachusetts) et Londres, Harvard University Press, 1957 [944f-945a].

J. Dillon, « Harpocration's *Commentary on Plato* : Fragments of a Middle Platonic Commentary », *California Studies in Classical Antiquity*, 4, 1971, p. 125-146.

Albinus, *Isagoge* (*Introduction aux dialogues de Platon*), édité par C.F. Hermann, *Platonis dialogi*, Leipzig, 1853 (traduction par R. Le Corre, *Revue philosophique*, 81, 1956, p. 28-38) [3-5].

Alcinoos, *Enseignement des doctrines de Platon* [Didaskalikos], édité par J. Whittaker et traduit par P. Louis, Paris, Les Belles Lettres, 1990 [§ XXVII-XXVIII].

Funghi, M.S., « Un Commentario all'*Alcibiade I* », *Zeitschrift für Papyrologie und Epigraphik*, 55, 1984, p. 5-6 (pour l'identification du texte suivant).

Lassere, F., « Anonyme, Commentaire de l'*Alcibiade I* de Platon », dans F. Decleva Caizzi *et al.* (ed.), *Varia Papyrologica*, Florence, L.S. Olschki, 1991, p. 7-23.

Plotin, *Ennéades*, édition et traduction par É. Bréhier, Paris, Les Belles Lettres, 7 volumes, 1924-1938 [I, 1, 3-6 et 10 ; I, 6, 9 ; IV, 7, 1 ; V, 1 ; V, 3 ; V, 9, 5 ; VI, 7, 4-5].

Porphyre, *Lettre à Marcella* (à la suite de la *Vie de Pythagore*), édition et traduction par É. des Places, Paris, Les Belles Lettres, 1982.

Porphyre, extraits conservés du traité *Sur le « Connais-toi toi-même »*, dans l'*Anthologie* de Stobée, édition de K. Wachsmuth (livres I et II) et O. Hense (III et IV), Berlin, 5 vol., 1884-1912 [III, 21, 26-27].

Jamblique, *Iamblichi Chalcidensis. In Platonis dialogos commentariorum fragmenta*, édités et traduits par J.M. Dillon, 23, Leyde, Brill, 1973.

Eusèbe de Césarée, *La Préparation évangélique*, livre XI, édition de K. Mras (revue par É. des Places) et traduction par G. Favrelle, Paris, Cerf, 1982.

Proclus, *Sur le Premier Alcibiade de Platon*, texte établi, traduit et commenté par A.-Ph. Segonds, Paris, Les Belles Lettres, 2 volumes, 1985-1986.

Olympiodore, *Commentary on the First Alcibiades of Plato*, par L.G. Westerink, Amsterdam, North-Holland Publishing Company, 1956.

Anonyme, *Prolégomènes à la philosophie de Platon*, édition par L.G. Westerink et traduction par J. Trouillard, avec la collaboration d'A.-Ph. Segonds, Paris, Les Belles Lettres, 1990.

Al-Fârâbi, *The Philosophy of Plato and Aristotle*, traduit par M. Mahdi, New York, Free Press of Glencoe, 1962 [I, 1-2].

Études générales

Courcelle, P., *Connais-toi toi-même de Socrate à saint Bernard*, Paris, Études augustiniennes, 1974, 3 tomes.

North, H., *Sophrosyne. Self-Knowledge and Self-Restraint in Greek Literature*, Ithaca, « Cornell Studies in Classical Philology », 35, 1966.

Pépin, J., *Idées grecques sur l'homme et sur Dieu*, Paris, Les Belles Lettres, 1971, première partie, p. 55-203 (qui reprend « " Que l'homme n'est rien d'autre que son âme ". Observations sur la tradition du *Premier Alcibiade* », *Revue des études grecques*, p. 56-70).

Wilkins, E.G., *« Know Thyself » in Greek and Latin Literature*, Dissertation, Chicago, 1917.

CHRONOLOGIE

Socrate	Platon	Événements politiques et militaires
		750-580 : Colonisation grecque notamment en Sicile.
		508 : Réformes démocratiques à Athènes.
		499-494 : Révolte de l'Ionie contre les Perses. Athènes envoie des secours.
		490-479 : Guerres médiques.
		490 : Bataille de Marathon.
		480 : Bataille des Thermophyles.
		480 : Victoire de Salamine.
		Victoire des Grecs de Sicile sur les Carthaginois à Himère.
		478-477 : Formation de la Confédération de Délos. Elle durera jusqu'en 404.
470 : Naissance de Socrate, dix ans après la bataille de Salamine.		
		459 : Guerre de Corinthe contre Athènes.
		449/448 : Paix dite « de Callias » entre Athènes et les Perses.
		447 : Bataille de Coronée.

Socrate	Platon	Événements politiques et militaires
		446 : Paix dite « de Trente Ans », qui durera quinze ans (446-431).
441-429 : Socrate semble avoir des liens avec l'entourage de Périclès (avec Aspasie, Alcibiade, Axiochos, Callias).		
		435 : Guerre de Corinthe contre Corcyre et alliance de Corcyre et d'Athènes.
		432 : Révolte de Potidée (432-429).
		431-404 : Guerre du Péloponnèse.
430 : Hoplite à Samos.		**430-426 :** Peste à Athènes.
429 : Socrate sauve la vie d'Alcibiade à la bataille de Potidée.		**429 :** Mort de Périclès et rivalité entre Cléon (belliciste) et Nicias (pacifiste). Capitulation de Potidée.
	428-427 : Naissance de Platon.	**428-427 :** Révolte de Mytilène.
423 : Les *Nuées* d'Aristophane. À un âge mûr, Socrate se marie avec Xanthippe dont il aura trois fils.		**421 :** Nicias négocie la paix dite « de Nicias ».
		415-413 : Expédition de Sicile sous le commandement de Nicias, de Lamachos et d'Alcibiade. La mutilation des Hermès.
414 : Socrate sauve la vie de Xénophon à la bataille de Délium.		**414 :** Trahison d'Alcibiade, qui gagne Sparte.
		412 : Révolte de l'Ionie et alliance entre Sparte et la Perse.
		411 : Révolution des « Quatre Cents » puis des « Cinq Mille ».
		410 : La démocratie est rétablie à Athènes.
		407 : Retour d'Alcibiade à Athènes.
406/405 : Socrate, président du Conseil. Le procès des Arginuses.		**406 :** Défaite d'Alcibiade à la bataille de Notion.
		405 : Denys Ier, tyran de Syracuse.

Socrate	Platon	Événements politiques et militaires
404 : Socrate refuse d'obéir aux Trente et d'arrêter Léon de Salamine.		**404 :** Lysandre impose la paix à Athènes et institue les « Trente Tyrans ». **403 :** La démocratie est rétablie à Athènes.
399 : Socrate est accusé d'impiété, de corruption de la jeunesse et de pratique de religions nouvelles, par Anytos, chef de la démocratie restaurée par la révolution de 403. Il est condamné à mort. Il attend le retour du bateau sacré de Délos avant de boire la ciguë.	**399-390 :** Platon rédige l'*Hippias mineur,* l'*Ion, le Lachès,* le *Charmide,* le *Protagoras* et l'*Euthyphron.*	
		395-394 : Sparte assiège Corinthe.
	394 : Peut-être Platon prit-il part à la bataille de Corinthe. **390-385 :** Platon rédige le *Gorgias,* le *Ménon,* l'*Apologie de Socrate,* le *Criton,* l'*Euthydème,* le *Lysis,* le *Ménexène* et le *Cratyle.* **388-387 :** Voyage de Platon en Italie du Sud où il rencontre Archytas, et à Syracuse, où règne Denys Ier. **387 :** Retour de Platon à Athènes, où il fonde l'Académie.	
		386 : Paix dite « du Roi » ou « d'Antalcidas ».
	385-370 : Platon rédige le *Phédon,* le *Banquet,* la *République* et le *Phèdre.*	
		382 : Guerre de Sparte contre Athènes. **378 :** Guerre d'Athènes-Thèbes contre Sparte. **376 :** Athènes est maîtresse de la mer Égée. La ligue béotienne est reconstituée. **375 :** Flotte d'Athènes dans la mer Ionienne. **371 :** Thèbes bat Sparte à Leuctres : fin de la su-

Socrate	Platon	Événements politiques et militaires
		prématie militaire de Sparte.
	370-347/6 : Platon rédige le *Théétète,* le *Parménide,* le *Sophiste,* le *Politique,* le *Timée,* le *Critias* et le *Philèbe.*	
	367-366 : Platon vient à Syracuse pour exercer, à la demande de Dion, une influence sur Denys II qui a succédé à son père. Dion est exilé.	**367** : Mort de Denys Ier. Denys II, tyran de Syracuse.
	361-360 : Dernier séjour à Syracuse.	
	360 : Platon rencontre Dion qui assiste aûx jeux Olympiques. L'exilé lui fait part de son intention d'organiser une expédition contre Denys II.	
		359 : Philippe II, roi de Macédoine, père d'Alexandre le Grand (359-336).
		357 : Guerre des alliés (357-346). Départ de l'expédition de Dion contre Denys II.
		354 : Assassinat de Dion.
	347-6 : Platon meurt. Il est en train d'écrire les *Lois.*	
		344-337/6 : Timoléon en Sicile.
		338 : Bataille de Chéronée.
		336 : Philippe assassiné. Alexandre le Grand, roi de Macédoine (336-323).

N.B. : En Grèce ancienne, on comptait les années comme années d'Olympiades. Or les jeux Olympiques avaient lieu au mois d'août. D'où le chevauchement de l'année grecque sur deux de nos années civiles, qui commencent début janvier.

Par ailleurs, la périodisation des œuvres de Platon que nous proposons n'est qu'approximative : rien n'assure que l'ordre de la composition des dialogues correspond à l'ordre dans lequel nous les citons à l'intérieur d'une même période.

INDEX DES NOMS PROPRES

INDEX THÉMATIQUE

TABLE

LA PHILOSOPHIE DANS LA GF

ANSELME DE CANTORBERY
Proslogion (717)

ARISTOTE
De l'âme (711)
Éthique de Nicomaque (43)
Éthique à Nicomaque (947)
Parties des animaux, livre I (784)
Petits traités d'histoire naturelle (979)
Physique (887)
Les Politiques (490)
Traité du ciel (1036)

AUFKLÄRUNG. LES LUMIÈRES ALLEMANDES (793)

SAINT AUGUSTIN
Les Confessions (21)

AVERROÈS
Discours décisif (bilingue) (871)
L'Intelligence et la pensée (Sur le De Anima) (974)

BACON
La Nouvelle Atlantide (770)

BECCARIA
Des délits et des peines (633)

BERKELEY
Principes de la connaissance humaine (637)
Trois dialogues entre Hylas et Philonous (990)

BICHAT
Recherches physiologiques sur la vie et la mort (808)

BOÈCE
Traités théologiques (bilingue) (876)

LE BOUDDHA
Dhammapada (849)

COMTE
Leçons de sociologie (864)
Discours sur l'ensemble du positivisme (991)

CONDORCET
Cinq mémoires sur l'instruction publique (783)
Esquisse d'un tableau historique des progrès de l'esprit humain (484)

CONFUCIUS
Entretiens avec ses disciples (799)

CONSTANT
De l'esprit de la conquête et de l'usurpation dans leurs rapports avec la civilisation européenne (456)

CUVIER
Recherches sur les ossements fossiles de quadrupèdes (631)

DARWIN
L'origine des espèces (685)

DESCARTES
Correspondance avec Élisabeth et autres lettres (513)
Discours de la méthode (1091)
Lettre-préface des Principes de la philosophie (975)
Méditations métaphysiques (328)
Les Passions de l'âme (865)

DIDEROT
Entretien entre d'Alembert et Diderot. Lettre sur les aveugles. Lettre sur les sourds et muets (1081)
Le Rêve de d'Alembert. (1134)
Supplément au Voyage de Bougainville. Pensées philosophiques. Additions aux Pensées philosophiques. Lettre sur les aveugles. Additions à la Lettre sur les aveugles (252)

DIDEROT/D'ALEMBERT
Encyclopédie ou Dictionnaire raisonné des Sciences, des Arts et des Métiers (2 vol., 426 et 448)

DIOGÈNE LAËRCE
Vie, doctrines et sentences des philosophes illustres (2 vol., 56 et 77)

MAÎTRE ECKHART
Traités et sermons (703)

ÉPICTÈTE
Manuel (797)

ÉRASME
Éloge de la folie (36)

FICHTE
La Destination de l'homme (869)

GALIEN
Traités philosophiques et logiques (880)

GRADUS PHILOSOPHIQUE (773)

HEGEL
Préface de la Phénoménologie de l'esprit (bilingue) (953)
Principes de la philosophie du droit (664)

HÉRACLITE
Fragments (1097)

HERDER
Histoires et cultures (1056)

HIPPOCRATE
L'Art de la médecine (838)

HOBBES
Le Citoyen (385)

HUME
Enquête sur l'entendement humain (343)
Enquête sur les principes de la morale (654)

L'Entendement. Traité de la nature humaine, livre I (701)
Essais esthétiques (1096)
Les Passions. Traité de la nature humaine, livre II (557)
La Morale. Traité de la nature humaine, livre III (702)

KANT
Anthropologie (665)
Critique de la faculté de juger (1088)
Critique de la raison pratique (1090)
Critique de la raison pure (1142)
Essai sur les maladies de la tête.
Observations sur le sentiment du Beau et du Sublime (571)
Métaphysique des mœurs (2 vol., 715 et 716)
Opuscules sur l'histoire (522)
Théorie et Pratique (689)
Vers la paix perpétuelle. Qu'est-ce que les lumières ? Que signifie s'orienter dans la pensée ? (573)

KIERKEGAARD
La Reprise (512)

LA BOÉTIE
Discours de la servitude volontaire (394)

LAMARCK
Philosophie zoologique (707)

LA ROCHEFOUCAULD
Maximes et réflexions diverses (288)

LEIBNIZ
Discours de métaphysique (1028)
Essais de Théodicée (209)
Nouveaux essais sur l'entendement humain (582)
Principes de la nature et de la grâce.
Monadologie et autres textes (863)
Système nouveau de la nature et de la communication des substances (774)

LOCKE
Lettre sur la tolérance et autres textes (686)
Traité du gouvernement civil (408)

LONG & SEDLEY
Les Philosophes hellénistiques (641-643, 3 vol. sous coffret 1147)

LUCRÈCE
De la nature (30)
De la nature (bilingue) (993)

MACHIAVEL
L'Art de la guerre (615)
Le Prince (317)

MALEBRANCHE
Traité de morale (837)

MALTHUS
Essai sur le principe de population (2 vol., 708 et 722)

MARC AURÈLE
Pensées pour moi-même suivies du Manuel d'Épictète (16)

MARX
Manuscrits de 1844 (789)

MARX & ENGELS
Manifeste du parti communiste (1002)

MONTAIGNE
Apologie de Raymond Sebond (1054)
Essais (3 vol., 210, 211 et 212)

MONTESQUIEU
Considérations sur les causes de la grandeur des Romains et de leur décadence (186)
De l'esprit des lois (2 vol., 325 et 326)
Lettres persanes (19)

MORE
L'Utopie (460)

NIETZSCHE
Ainsi parlait Zarathoustra (881)
L'Antéchrist (753)
Le Crépuscule des idoles. Le Cas Wagner (421)
Ecce Homo. Nietzsche contre Wagner (572)
Le Gai Savoir (718)
Généalogie de la morale (754)
Le Livre du philosophe (660)
Par-delà bien et mal (1057)
Seconde considération intempestive (483)

PASCAL
Pensées (266)
De l'esprit géométrique. Écrits sur la grâce et autres textes (436)

PASTEUR
Écrits scientifiques et médicaux (825)

PENSEURS GRECS AVANT SOCRATE (31)

PLATON
Alcibiade (988)
Apologie de Socrate. Criton (848)
Le Banquet. (987)
Charmide. Lysis. (1006)
Cratyle (954)
Euthydème (492)
Gorgias (465)
Ion (529)
Lachès. Euthyphron (652)
Lettres (466)
Ménon (491)
Parménide (688)0
Phédon (489)
Phèdre (488)
Philèbe (705)
Platon par lui-même (785)
Le Politique (1156)
Premiers dialogues : Second Alcibiade. Hippias mineur. Euthyphron. Lachès. Charmide. Lysis. Hippias majeur. Ion (129)
Protagoras (761)
Protagoras. Euthydème. Gorgias.

Ménexène. Ménon. Cratyle (146)
La République (653)
Sophiste (687)
Sophiste. Politique. Philèbe. Timée. Critias (203)
Théétète (493)
Théétète. Parménide (163)
Timée. Critias (618)

LES MYTHES DE PLATON (1185)

PLOTIN
Traités (1155)
Traités 7-21 (1164)
Traités 22-26 (1198)

QUESNAY
Physiocratie (655)

RAZI
La Médecine spirituelle (1136)

RICARDO
Principes de l'économie politique et de l'impôt (663)

ROUSSEAU
Considérations sur le gouvernement de Pologne. L'Économie politique. Projet de constitution pour la Corse (574)
Du contrat social (1058)
Dialogues. Le Lévite d'Éphraïm (1021)
Discours sur l'origine et les fondements de l'inégalité parmi les hommes. Discours sur les sciences et les arts (243)
Émile ou de l'éducation (117)
Essai sur l'origine des langues et autres textes sur la musique (682)
Lettre à M. d'Alembert sur son article Genève (160)
Lettre à D'Alembert (1165)
Profession de foi du vicaire savoyard (883)

SAY
Cours d'économie politique (879)

SCHOPENHAUER
Sur la religion (794)

SÉNÈQUE
De la providence De la constance du sage. De la tranquilité de l'âme. Du loisir (1089)
Lettres à Lucilius (1-29) (599)

SMITH
La Richesse des nations (2 vol., 598 et 626)

SPINOZA
Œuvres : I - Court traité. Traité de la réforme de l'entendement. Principes de la philosophie de Descartes. Pensées métaphysiques (34)
II - Traité théologico-politique (50)
III - Éthique (57)
IV - Traité politique. Lettres (108)
Traité de la réforme de l'entendement (bilingue) (1171)

THOMAS D'AQUIN
Contre Averroès (bilingue) (713)
Somme contre les Gentils (1045-1048, 4 vol. sous coffret 1049)

THOMAS D'AQUIN ET LA CONTROVERSE SUR *L'ÉTERNITÉ DU MONDE* (1199)

TOCQUEVILLE
De la démocratie en Amérique (2 vol., 353 et 354)
L'Ancien Régime et la Révolution (500)
Sur l'Algérie (1175)

TURGOT
Formation et distribution des richesses (983)

VICO
De l'antique sagesse de l'Italie (742)

VOLTAIRE
Dictionnaire philosophique (28)
Lettres philosophiques (15)
Traité sur la tolérance (552)

WITTGENSTEIN
Remarques mêlées (815)

GF-CORPUS

L'Âme (3001)
L'Amitié (3054)
L'Amour (3010)
Autrui (3051)
Le Citoyen (3044)
Le Corps (3055)
La Démocratie (3007)
Le Désir (3015)
Dieu (3008)
Le Droit (3046)
L'État (3003)
L'Expérience (3049)
L'Histoire (3021)
L'Identité (3030)
L'Illusion (3035)
L'Image (3036)
La Justice (3050)
Le Langage (3027)
Le Libéralisme (3016)
La Liberté (3023)
La Loi (3056)
Le Mal (3057)
Les Mathématiques (3019)
La Matière (3020)
La Métaphysique (3037)
La Morale (3018)
La Mort (3072)
La Nature (3009)
Le Nihilisme (3011)
L'Œuvre d'art (3024)
La Paix (3026)
Les Passions (3053)
Le Pouvoir (3002)
La Religion (3040)
Le Scepticisme (3014)
La Sensation (3005)
La Société (3041)
Le Temps (3006)
La Tolérance (3004)
Le Travail (3025)
L'Utopie (3029)
La Vie (3045)
La Violence (3042)
La Volonté (3012)

GF Flammarion

14/06/191146-VI-2014 – Impr. MAURY Imprimeur, 45330 Malesherbes.
N° d'édition L01EHPNFG0988.C010. – Décembre 1998. – Printed in France.